Le Livre de Poche
Jeunesse

LE PREMIER DESSIN DU MONDE

FLORENCE REYNAUD

LE PREMIER DESSIN DU MONDE

Illustrations :
Hanno Baumfelder

Florence Reynaud remercie le Centre National du Livre pour le soutien qu'il apporte à son œuvre.

Que ce soit durant la préhistoire ou aujourd'hui, je crois que ceux qui ont reçu le don du dessin nous fascinent toujours. Ce sont un peu des « magiciens »...

Je connais très bien un enfant, une sorte de Killik, dont les talents précoces m'ont ravie et émue. C'est en le voyant dessiner que j'ai imaginé cette histoire... C'est donc à François, mon fils, que je dédie ce livre.

Avant-propos

J'ai choisi de situer ce roman à une époque remontant à il y a environ 30 000 ans, époque significative puisqu'elle correspondrait aux premières manifestations connues de l'art au paléolithique supérieur. La grotte Chauvet-Pont-d'Arc, en Ardèche, une découverte capitale sur le plan archéologique, m'a beaucoup inspirée. En effet, on y a relevé récemment les empreintes d'un enfant marchant pieds nus, qui aurait mouché sa torche sur le rocher. De plus, il s'y trouvait un crâne d'ours posé sur une pierre. (Quant aux dessins et peintures rupestres, leur beauté et leur abondance m'ont profondément émue, et je suis loin d'être la seule...)

Killik, cependant, reste un précurseur né de mon imagination, le premier à dessiner dans la région où il vit.

Je lui ai prêté, usant pour cela de la liberté du roman-
cier, des gestes qui sont peut-être nés bien plus tard, tel
ce geste qui consiste à apposer ses mains sur la paroi
après les avoir plongées dans de l'ocre ou ceux qui per-
mettent de sculpter une figurine féminine.

Les personnages de ce récit sont confrontés à une
nature sauvage, mais ils avaient l'habitude de voisiner
avec les lions, les loups, d'endurer le froid de cette
période glaciaire, aux longs hivers, aux étés courts et
chauds. Période redoutable car ces animaux étaient de
très grande taille. La hyène des cavernes, une espèce
aujourd'hui disparue, vivait alors en France, malgré le
froid. C'était un animal dangereux, lui aussi de grande
taille.

Nous ne saurons jamais exactement comment
vivaient nos lointains ancêtres, et chaque nouvelle
découverte peut bouleverser des idées acquises. Je me
suis aidée de ce que l'on sait à ce jour, en cherchant à
faire partager à mes jeunes lecteurs les émotions, les
joies et les chagrins d'un artiste de la préhistoire...

Prologue

L'enfant est recroquevillé contre la paroi de la caverne. Un grand feu le sépare de l'entrée obscurcie par la nuit. Les flammes jaunes dessinent sur le rocher des ombres et des reliefs, en créant des créatures fantastiques selon les aspérités ou les courbes de la pierre.

L'enfant a peur. On l'a laissé là. Depuis deux jours déjà. Tout seul, il a dressé une barrière de branches épineuses qui le protègent des bêtes errantes. Il s'est écorché les mains, le corps, à ramasser, à porter, à tresser ce mur tortueux de ronces et d'aubépines.

Ce soir, de l'autre côté de cette barrière, se tiennent les loups. Il les a entendus hurler au coucher du soleil, au fond du vallon étroit. Alors, le cœur serré avec des gestes brusques, il a entassé des bouts de bois, il a frotté la pierre à étincelles, il a soufflé, soufflé sur la mousse sèche. Quand les bêtes sont arrivées, de leur trot dansant, le feu flambait haut.

L'enfant se sent un peu à l'abri, mais si peu ! Il a compté sept loups. Ils sont énormes, pattes puissantes, yeux obliques, pelage gris. Ils vont et viennent derrière le rempart d'épineux, s'arrêtent parfois pour regarder la silhouette alléchante blottie dans la grotte, illuminée par le feu. Le feu les effraie, mais comme le soleil, le feu peut s'éteindre. Qu'importe ! ils attendent.

L'enfant lutte contre la panique. Le Clan du Bison, son clan, savait mettre les loups en fuite, en leur jetant des braises, des pierres. Avant, tout était facile ou presque... Maintenant, privé du bruit des voix familières, des odeurs de viande grillée, de poisson fumé, privé du sourire de sa mère, privé de la force de son père, l'enfant devient proie. Sa faiblesse le suffoque, lui arrache des gémissements.

Celui qui a souhaité qu'on l'abandonne ici, celui qu'on appelle Ordos, mériterait d'être à sa place, seul face aux loups. La colère vient. Elle enfle, envahit son cœur, son esprit, chasse sa peur.

L'enfant, à qui sa mère a donné le nom de Killik, se lève brusquement. Son ombre aussi. Immense, elle envahit la roche derrière lui. L'enfant agite les bras, libère un long cri de rage et de désespoir.

Les loups ont reculé. À peine. Ils guettent l'enfant changé en bruyant animal gesticulant.

Killik prend des galets, commence à les lancer. Un

loup, touché à l'épaule, pousse une plainte. Les galets, les cailloux, les pierres aux angles durs s'envolent par-dessus la barrière d'épines. Des branches jetées au feu lui donnent encore plus de vigueur.

Killik crie, le visage en larmes, la bouche grande ouverte :

« Partez ! Laissez-moi tranquille ! Allez chasser Ordos le sot, Ordos le sage ! Partez, vous ne m'aurez pas ! »

Pris de fureur, Killik attrape au bord du foyer un morceau de bois enflammé. Il avance vers les loups en agitant sa torche et en continuant à crier :

« Je vais vous brûler le nez, partez ! Je ne veux plus vous voir ! »

Les loups renoncent, surpris. Un des mâles prend la fuite, les autres le suivent. Killik reste figé, le tison à la main. Que reste-t-il lorsque la peur et la colère s'apaisent ? Un peu de joie et la fierté d'avoir gagné. Ensuite, emplissant l'âme, il y a la révolte :

« Tu m'as laissé aux loups, aux lions et aux *dhôles*[1], Ordos, mais je n'ai pas peur ! Je n'aurai plus jamais peur de toi. Ce que tu as défendu de faire, je le ferai !

— Fe-rai... fe-rai... fe-rai... »

Les derniers mots ont retenti le long du vallon, en se heurtant aux falaises qui en renvoient l'écho. Amusé, Killik crie plus fort :

« Ce que je fais, c'est bien et c'est beau, tu entends,

---

1. Chiens sauvages.

Ordos ? Je le ferai encore... longtemps... C'est bien et c'est beau...

— Beau... beau... beau... »

L'enfant retourne près du feu. Puis il marche jusqu'à la paroi rocheuse, la contemple en penchant la tête, songeur. Il lève soudain la main qui n'a pas lâché le morceau de bois, à présent éteint. Le bout noirci vient frôler la pierre, y trace un trait. Killik sourit.

*
* *

Il faut reprendre maintenant l'histoire de Killik deux ans plus tôt, à l'époque de la saison chaude qui est si courte, celle où les troupeaux de bisons envahissent la grande prairie. C'est là que tout a commencé.

PREMIÈRE PARTIE

1

Les bisons

Killik attend, debout contre le vent. Impatient, il tend l'oreille. Rien... Près de lui, Ano s'est accroupi. Les deux garçons ont reçu l'ordre de ne pas quitter l'abri du buisson de genévrier.

Là-bas, au bout de la plaine, les hommes du clan guettent eux aussi. L'attente dure depuis longtemps. Killik regarde vers les collines, vers le piège. Soudain Ano se redresse, les yeux brillants.

« Écoute, Killik !

— Tu as entendu quelque chose ?

— Oui, les cris des rabatteurs... »

Killik se jette à plat ventre, appuie sa joue sur l'herbe rase. D'abord il perçoit des martèlements rythmés, comme des chocs répétés qui viennent danser au fond de son cœur. Ensuite un grondement sourd semble monter de la terre.

« Ano ! Les bisons ! Ils arrivent ! »

Ano et Killik se cachent derrière le genévrier. Au travers des branches épineuses, ils voient apparaître une masse brune, lancée au galop dans un immense nuage de poussière. Les dos ronds se soulèvent, les pattes innombrables foulent le sol. C'est un troupeau important, des centaines de bêtes affolées qui fuient en avant, pour échapper à ces créatures gesticulantes qui ont surgi ici et là parmi la grande pâture sauvage.

Killik, exalté, serre les poings. Il vibre tout entier. Les bisons se rapprochent.

« Ano, ils vont passer devant nous. Tout près ! »

Ano hoche la tête. Il est inquiet. À voix basse, il dit :

« Ne bouge pas, Killik ! Surtout ne bouge pas ! »

Les premiers bisons défilent. Killik les regarde. Bientôt il n'est plus qu'un regard. Il voit les têtes énormes, pesantes, l'œil petit, noir, enfoncé dans la toison rousse. Il devine l'effort des muscles, le battement du sang échauffé par la panique.

La terre en est ébranlée. Cela fait sous les pieds un lent frémissement. Ano a peur. C'est la première fois pour lui et Killik. Les bisons, ils les ont vus les étés précédents, mais du haut de la falaise. Ils n'étaient alors que des taches sombres sur le vert fleuri de la plaine. Ils ne faisaient pas de bruit, ne dégageaient pas cette âcre odeur de suint et de chair. Aujourd'hui, ils sont vrais.

Killik sourit. Il se sent tellement heureux ! Déjà, avant le lever du jour, il est parti avec les chasseurs du clan, qui ont laissé les femmes ranimer les feux. Ils ont traversé la vallée étroite, roches grises et terre jaune. Puis le paysage s'est élargi, la grande plaine est apparue et, là, des milliers de couleurs ont chanté au soleil. Ano marchait près de Killik, il se plaignait du froid, du vent, de la lumière. Ano se plaint toujours.

En chemin, O-Yon, le père de Killik, a expliqué aux deux garçons comment s'orienter, en leur montrant une pierre d'une certaine forme ou un arbre mort. Le temps est venu d'apprendre à reconnaître les sentiers du clan. Le temps est venu aussi de voir les bisons, car la belle saison revient pour la dixième fois depuis la naissance d'Ano et de Killik.

Killik ne peut s'empêcher de sautiller d'un pied sur l'autre. Le spectacle du troupeau lui donne envie de crier, de courir. Ano s'agenouille, les mains au sol. Il lance un regard anxieux à son compagnon ; le voit à découvert, à trois pas du buisson.

« Killik ! Reviens ! »

Killik n'entend pas. Il veut respirer encore ce souffle de tempête que soulèvent les bisons. Pourtant la masse brune s'est effilochée en individus épars, au galop épuisé. Une bête maigre, celle que choisiraient les loups pour victime, a repris le trot. Son mufle fume, ses flancs sont agités de soubresauts. Elle se sait à la traîne, isolée de la horde protectrice, et cherche l'ennemi. C'est là qu'elle aperçoit une silhouette bizarre, ni loup ni dhôle, mais pourvue d'une odeur connue et inquiétante, celle des créatures qui ont provoqué le départ affolé des siens. Furieuse, la bête charge Killik.

L'enfant comprend trop tard. Il fait un bond de côté, tombe, roule sur lui-même. Le bison le frôle et, avant de s'enfuir, décoche une ruade. Killik a l'impression que sa jambe gauche éclate. La douleur le suffoque, le pétrifie, puis elle masque jusqu'à la clarté du ciel.

*
* *

« Reste tranquille, Killik. Je suis là... »

La voix est douce, une voix qui apaise et console. Killik ouvre les yeux. Le visage de Li-Ama, sa mère, est penché sur lui.

« Mamme, j'ai mal.

— Je sais. Le sabot du bison a cassé ta jambe. J'ai eu très peur quand ton père t'a ramené. Il te portait sur son dos, tu étais blanc, inerte. Ordos t'a soigné. Il a mis ses herbes magiques sur tes plaies, il a attaché ta jambe entre trois branches de noisetier. Tu as dormi si longtemps ! Deux jours et trois nuits. Maintenant tu dois rester tranquille. C'est la fièvre qui te fait gémir. Mais je suis là, Killik.

— Mamme... j'ai soif ! »

Li-Ama se lève. Elle prend une corne pour recueillir de l'eau à la source toute proche. Sa démarche ressemble à celle des bêtes au gros nez[1] dont la chair grillée régale le clan.

Killik regarde sa mère s'éloigner. Il écoute les bruits bien connus du grand abri. Le pétillement des feux, les pleurs des bébés, les discussions des hommes, le heurt d'un percuteur sur un rognon de silex. C'est la meilleure saison pour la chasse, il faut posséder des armes en bon état, au tranchant sûr. Killik écoute, mais il est si fatigué que le sommeil le reprend. Il a juste le temps de penser aux bisons. Le temps d'une image logée dans son esprit, celle de la bête quand il a senti son souffle brûlant et sa colère.

*
* *

« Killik... Tiens, mange... de la bonne viande. Ton père et les autres ont rapporté deux rennes. »

Li-Ama s'agenouille près de la couche de son fils. Il fait chaud sous l'avancée du rocher. Le soleil est haut dans le ciel. Plusieurs jours se sont écoulés, Killik est sauvé. La fièvre a fui son jeune corps. Il suffit d'attendre. L'enfant remarchera avant le grand froid.

Il est adossé au roc, le dos calé par un rouleau de

---

1. Antilopes saïgas.

fourrures. Li-Ama s'installe à côté de lui, sa fille Awuna blottie contre son sein. Le bébé vient de téter.

« Killik, je dois te parler. Ordos n'aime pas ce qui s'est passé. Il dit que les bisons ne reviendront pas. Que tu les as provoqués... Tu as manqué de sagesse en te montrant. Ano a tout raconté. »

Le garçon sourit. Ordos, encore Ordos ! Ordos qui habite une petite grotte plus haut dans la falaise. Il est celui qui détient le savoir. Ordos connaît les plantes guérisseuses et il lit dans les nuages les signes de l'esprit du Vent. Ordos qui fait peur, un peu, et qui commande au clan.

Li-Ama fronce les sourcils en réponse au sourire de son fils. Elle dit dans un murmure :

« Aucun bison n'est tombé dans le piège ! À qui la faute ? À toi, si j'écoute Ordos.

— Mamme ! Est-ce ma faute si un vieux bison m'a pris pour un loup ? »

En disant cela, les yeux de Killik brillent de malice. Sa mère prend un ton plus sévère :

« Les bisons sont nos amis, mon fils, nous les aimons, nous les respectons. C'est l'époque où ils viennent manger l'herbe de la plaine. Celui que nous tuons nous donne sa peau, sa chair, ses os. La saison froide passe plus vite avec des quartiers de bison empilés sous la neige. Les enfants ne souffrent pas de la faim. Tant pis... les hommes vont aller à la pêche plus souvent. Regarde-moi, Killik ! Tu es vivant, alors je suis contente.

— Tu es gentille, mamme. »

La jeune femme éclate de rire. Elle n'a pas peur des idées d'Ordos, pas encore.

Killik, chaque matin, observe de sa couche les jeux des autres enfants. Ils sont sept à courir devant l'abri, à sauter sur les pierres, à se lancer des bouts de bois qu'il faut attraper au vol. Les filles, parfois, s'amusent à tourner en rond en se tenant par la main. Killik, lui, s'ennuie beaucoup. Ce sentiment, venu par surprise, ne le quitte plus.

La seule chose à faire, c'est regarder. Au début, cela a suffi, mais très vite Killik a compris que les images se répétaient sans cesse : Li-Ama donnant le sein à la petite sœur, puis la confiant à la vieille Mumme, qui garde les bébés. Les chasseurs, les mains plongées dans la chair du gibier... Ils dépècent, coupent, brisent les os. Ensuite les femmes font fumer la viande. Les hommes assis en cercle autour du grand feu, le soir. Ils taillent des silex, passent un pouce sur le tranchant, recommencent. Le bras levé, le percuteur de bois dur au poing et les chocs rythmés.

Killik a pris l'habitude d'ouvrir grands les yeux, mais rien ne chasse l'ennui. Il se plaint à Li-Ama :

« Je veux courir avec les autres, mamme... Tu es sûre que ma jambe n'est pas guérie ? J'ai moins mal !

— Tiens-toi tranquille, Killik. Je vais te trouver de l'occupation. La vieille Mumme est fatiguée. Je te confie Awuna. »

Li-Ama prend le bébé et l'installe près de son frère en lui donnant comme jouet un morceau d'ivoire taillé en anneau. Awuna a déjà des dents, elle tient assise sur ses fesses potelées.

« Voilà, surveille-la bien... Les baies sont mûres. Je vais descendre en cueillir au bord de la rivière... »

Killik demeure seul avec le bébé. Bien sûr, il reste sous l'abri deux femmes et la vieille Mumme, qui se tiennent à l'opposé, dans le coin du tannage. Killik soupire, agacé, mais son caractère joyeux le pousse vite à chatouiller Awuna, à lui ébouriffer la drôle de mèche brune qui orne son crâne.

« Awuna... Écoute-moi, je vais imiter les bisons... Le bison est fort, énorme. Il galope, comme ça, la tête baissée. »

Killik baisse le nez, souffle bruyamment. Ses bras repliés miment le galop des bisons. Awuna le regarde, étonnée, puis elle se met à crier de joie.

« Ça te plaît, bébé ? Tu aimes les bisons, car tu es la dernière-née du Peuple des Bisons ! Et les bisons... »

Killik a pris les intonations solennelles d'Ordos. Il se tait soudain. La horde de bisons revient au grand galop parcourir son esprit. Il voudrait revenir en arrière, être encore au milieu de la prairie, parmi le tumulte des bêtes affolées. Awuna gémit, déçue. Elle n'aime pas ce long silence. Killik se gratte les cheveux, songeur. Il observe la couche de sable sur laquelle est assise la petite sœur. Y passe les doigts, capture une poignée de poudre jaune, la fait couler. Awuna fait la même chose. Ensuite, Killik lisse de la paume la surface souple, y trace un trait. C'est la première fois qu'il agit ainsi. Une idée lui vient.

« Regarde, Awuna, regarde les bisons ! »

Killik, très sérieux, laisse un instant sa main en suspens au-dessus du sable. En se mordant la lèvre inférieure, il attend. Une émotion nouvelle enflamme son cœur. Ses doigts se posent, hésitants. Il parle tout bas :

« Les bisons, Awuna, ils étaient comme ça... »

Les doigts de Killik esquissent un dessin. La lourde tête, la bosse du dos, et là, le petit œil. Les pattes plus fines. Oui, c'est ça, une sorte de bison vient d'apparaître sur le sable. Killik est bouleversé, il ose à peine respirer. Awuna pousse un hurlement perçant, puis lance un grand rire de triomphe. Elle se penche et, avec des gestes désordonnés, efface la silhouette de l'animal.

« Awuna ! Vilaine ! Sois sage ! Ne bouge pas ! »

Killik lisse de nouveau le sable. Recommence. Cette fois, le bison est plus ressemblant. Haletant, l'enfant en trace un deuxième, puis un troisième. Un terrible bonheur l'envahit. Le même que celui qu'il a éprouvé là-bas, derrière les collines, quand la horde a défilé devant lui. Awuna le voit sourire. Elle se croit autorisée à jouer encore. Utilise ses pieds pour détruire un des bisons. Killik n'est pas fâché. Il regarde la petite fille, la chatouille un peu. Puis il lève sa main droite et l'examine attentivement. Ses doigts le fascinent. Ils ont permis aux bisons de revenir. Killik comprend qu'il pourra leur redonner vie quand il voudra.

Li-Ama revient. Elle soulève Awuna, l'embrasse sur le front.

« A-t-elle été gentille, Killik ?

— Oui, mamme, très gentille. Mais je suis fatigué... Elle bouge beaucoup.

— Repose-toi, Killik. Je vais la nourrir. »

Li-Ama, satisfaite, contemple un moment son fils allongé sur la litière de fougères. Par habitude, ses yeux effleurent au passage la langue de sable sec. La surface est lisse, paisible, comme elle l'a toujours été. Killik a fermé les yeux.

2

La colère d'Ordos

Killik regrette d'avoir dit qu'il s'ennuyait. Maintenant, tous les jours, Li-Ama lui confie Awuna ou une tâche à faire. Il a appris à tanner une peau de renne, à polir une aiguille en la frottant longtemps sur une pierre douce. O-Yon, son père, se moque de lui :

« De quoi te plains-tu, Killik ? Te voilà occupé ! Tes mains ne sont pas cassées, elles ! Elles doivent se rendre utiles au clan. Moi, je dois aller à la pêche, la rivière chante fort. Ordos nous a conseillé cette lune pour les saumons. »

O-Yon ajoute avec une grimace de dépit :

« Et moi, père de Killik, je dois ramener deux fois plus de poissons que les autres, car mon fils a reçu la marque du bison ! »

Li-Ama rit. Elle rit souvent. En secouant ses cheveux bruns. Elle a de longs cheveux épais, comme ceux de Killik. O-Yon a disparu de son pas souple. Killik se met à gémir :

« Mamme, je suis fatigué ! »

D'un geste brusque, Killik repousse la pierre à polir. Elle roule sur le sable. L'enfant la ramasse et ses doigts s'attardent sur la surface froide et mouvante. Li-Ama fronce les sourcils. Cet accès de mauvaise humeur la surprend.

« Bien. Alors, repose-toi, mon fils... »

Li-Ama se dirige vers le foyer central. Trois femmes sont assises autour des braises. Les discussions commencent. La vieille Mumme parle fort. Elle est sèche et ridée mais chacun la respecte car elle a donné vie à huit enfants dont quatre sont devenus adultes. Ordos lui-même vénère cette femme aux mèches grises, au regard perçant.

Killik attend un peu, le corps abandonné dans la position du sommeil. Les paupières mi-closes, il surveille le groupe de femmes. Sa mère, très occupée avec Awuna, ne regarde plus de son côté. Killik sent sa main droite frémir. Son bras glisse vers le banc de sable, ses doigts s'ouvrent, impatients. Pourquoi ce geste tout simple fait-il battre son cœur aussi fort ? L'index plonge dans le sable, trace une courbe, puis l'efface. Encore... La courbe renaît, s'allonge jusqu'à figurer la queue d'un animal. Une mélodie monte aux lèvres de l'enfant :

« Bisons... bisons... bisons... bisons... Ils galopent, ils foncent, oui, droit sur moi ! »

L'œil maintenant, qui vient donner à la grosse tête un air féroce. Les cornes. Non, ce n'est pas ça. Killik transpire. Il efface de la paume le bison, à cause des cornes qui l'ont changé en une bête étrange. La gorge sèche, Killik trace un bison, deux bisons, trois bisons, qui disparaissent tour à tour. Le quatrième lui apporte enfin une bouffée de joie. Il reste longtemps à le contempler, épuisé par l'effort.

« Killik ! »

La voix de Li-Ama. Sa silhouette qui se lève brusquement et se rapproche. Une envie de pleurer envahit Killik. Vite, il doit détruire le bison. Ses doigts voltigent, soulèvent un mince ouragan de sable. Sa mère s'agenouille devant lui.

« Killik ! Tu as un drôle d'air... As-tu mal ? Dis-moi...

— Je me sens bien, mamme, ne t'inquiète pas ! »

Li-Ama sent quelque chose de bizarre, comme un danger invisible. Cela rôde autour de son fils. Elle lit cette menace sur les joues de Killik où coule une larme. Pourtant il n'y a rien à repousser, à attraper, à écraser. Li-Ama examine en détail le corps de l'enfant, son visage, ses cheveux, mais elle n'ose plus regarder ses yeux. Elle l'a fait un instant plus tôt. Elle n'a pas compris ce qu'elle a lu dans le regard ébloui et douloureux de Killik.

« Killik... Je vais rester avec toi. Je travaillerai là, tout près, et nous parlerons. »

Killik n'a pas le courage de protester. Li-Ama revient, portant Awuna sur un bras et de l'autre un rouleau de peau de renne.

« Je couds une veste pour toi. Tu auras chaud à la saison des neiges. J'ai déjà confectionné un bonnet pour Awuna », explique-t-elle toute joyeuse à son fils.

Killik hoche la tête sans dire un mot. Il ne doit pas parler à sa mère, pas tout de suite. Sinon, il lui dira que des bisons sont nés à la surface du sable, grâce à ses doigts. Il préfère garder le secret, le plus longtemps possible. Li-Ama tire l'aiguille. Awuna suce son pouce, couchée près de Killik. En contrebas de l'abri, deux hommes du clan taillent des épieux. L'odeur verte du bois juste écorcé monte dans l'air tiède. Tout est paisible... et le restera jusqu'au retour des pêcheurs. Là, il y aura les saumons énormes jetés sur le sol, l'éclat de leur peau argentée à la lueur des feux de fumage.

Soudain un cri. Aigu, qui vrille les oreilles. C'est la vieille Mumme. À ce cri d'alerte répond un grognement modulé. Maintenant les cris fusent de toutes parts. Voix d'enfants, de femmes et d'hommes mêlées. Killik se redresse, son cœur tape comme un fou.

« Mamme... Là-bas, un lion ! »

Li-Ama ne bouge pas. Elle a vu la bête, sur l'autre berge de la rivière. Lion tout-puissant, le ventre creux, qui marche sans hâte vers l'eau.

Killik, blanc de terreur, observe les mouvements du

lion. Il se sent misérable, cloué sur la litière de fougères. Les enfants sont rentrés en courant dans l'abri pour se précipiter derrière le grand feu, avec leurs mères. La vieille Mumme ramasse des pierres, sans se lever, ses jambes ne la portent plus.

Le grognement s'élève une seconde fois, puis il se change en un rugissement d'impatience. Le lion se tient immobile à présent, gueule ouverte sur sa faim. Il a les pattes plongées dans la rivière, qui semble bien étroite tout à coup.

Li-Ama se déploie doucement. Elle ramasse trois gros galets dans le muret de l'abri. Une fois debout, elle ne quitte pas des yeux le fauve en chasse.

« Killik, n'aie pas peur ! Garde bien Awuna contre toi. Ne crie pas, le lion ne traversera pas la rivière », dit-elle à voix basse.

Les deux hommes ont commencé à lancer des pierres sur la bête, tout en poussant des hurlements. Les femmes, Li-Ama en tête, les rejoignent. Une volée de galets, de branches enflammées atteignent le lion. Celui-ci hésite, gronde, penche la tête, sans toutefois refermer sa gueule armée de crocs jaunes. Est-ce le même animal qui a emporté un enfant du clan voisin, à l'époque où les neiges disparaissent, où pointe la jeune herbe ?

Killik, pétrifié, regarde la scène : les hommes, épieux en main, les femmes jeteuses de pierres tranchantes et, surtout, le courage de sa mère, la plus hardie, la plus échevelée dans sa rage de savoir ses deux enfants menacés... et le lion, avec ses muscles pleins de frémissements, la ligne de son crâne plat, le battement de sa queue.

Le fauve gronde, déçu. Le gibier convoité se révolte, il ne fuit pas. Killik devine ce qui va suivre. Le lion recule pas à pas, l'œil incertain, puis, sans souci de dignité, il fait demi-tour et s'enfuit, telle une longue forme jaune avalée par les rochers. La vieille Mumme pousse un cri, de victoire celui-ci, repris en chœur par les femmes et les enfants. Ano, entre le rire et les larmes, s'élance vers Killik, s'agenouille.

« Tu as vu ça, Killik. Le lion est parti ! »

Killik ne répond pas. Ano l'abandonne depuis qu'il reste couché à cause de sa jambe cassée. Ano aurait pu venir près de lui un peu plus tôt... Killik n'a pas eu le temps de montrer sa froideur. Quelqu'un vient de parler très fort, et les mots paraissent tomber du ciel :

« Pas de viande de bison à partager ! Un lion vient nous rugir à la face ! Les lions ne s'approchent jamais de l'abri, ils n'aiment pas l'odeur des feux. J'appelle cela "les mauvaises choses" et cela ne fait que commencer. »

Li-Ama et tous les autres écoutent, la tête levée vers la falaise. Killik écoute aussi. Ano s'éloigne de lui, l'air effrayé.

« Que va-t-il arriver ensuite ? La colère des bisons nous poursuit et elle nous poursuivra jusqu'au temps des neiges et même pendant le temps des neiges... »

Awuna s'amuse, indifférente à la voix tonnante qui

résonne dans le vallon. Killik sourit. Il ne croit pas à
« la colère des bisons ». À celle d'Ordos, oui...

Ordos s'est tu. Il doit descendre le sentier à flanc
de falaise qui relie le grand abri à la petite grotte où il
vit.

Li-Ama a repris sa place à côté de Killik. Elle chuchote :

« Ordos est malin. Il profite de l'absence de ton
père ! Il va encore t'accuser... Ne lui dis rien, Killik,
et cache ton sourire... »

Killik n'a pas le choix. Il obéit. Ordos est là : cheveux gris attachés sur la nuque, torse nu aux côtes
saillantes, la figure tannée et ridée, les yeux bleus,
méfiants et froids. Il étudie un à un ceux qui
l'entourent, avant de regarder longuement Killik.
Enfin, les bras croisés, Ordos dit avec douceur :

« As-tu eu peur du lion, Killik ? Oui, j'en suis sûr !
Tu en trembles encore ! Réponds-moi ! Lève la tête ! »

Un vent de révolte court sous le front du garçon. Il
reste muet, en regardant attentivement les pieds
d'Ordos. Des pieds bruns de poussière, secs et nerveux. Le silence s'épaissit autour de Killik qui réfléchit. Ordos sait beaucoup de choses, c'est vrai, mais
il en ignore aussi. Killik le sent. Il a envie de le crier.
Personne ne l'a fait, personne n'a osé contredire
Ordos ouvertement, même pas O-Yon.

Ordos s'impatiente. Sa colère se change en fureur.

« Killik ! Tu dois me regarder et me répondre. À
cause de toi, les bisons ont quitté la grande prairie. Tu

les as offensés en te dressant devant eux. Les chasseurs courent derrière la horde, comme les loups, ils ne leur font pas front. À cause de toi, viendra le malheur. Tu as vu le lion ! Il reviendra, il emportera un de nos petits, ou la vieille Mumme, ou toi ! »

Ordos a hurlé, la bouche crispée. Il a parlé vite, en agitant les bras. Killik sent une main prendre la sienne. C'est Li-Ama qui veut le rassurer en lui pétrissant les doigts, et sans doute l'empêcher de répondre. Tout le monde connaît les manies d'Ordos, ce sont celles des orages d'été. Il tempête, gronde et sermonne, puis il se calme et s'en va.

Killik hésite. Il a envie de pleurer, de poser sa joue sur l'épaule de sa mère. Ce geste de soumission le garderait du côté des enfants, les larmes seraient chaudes, apaisantes. Un vent de révolte en décide autrement, le pousse d'un seul coup vers un autre monde, celui des hommes, où il faut se battre. Killik dégage doucement sa main de celle de Li-Ama. Puis il redresse le cou, menton levé, et plonge ses yeux dans les yeux d'Ordos. Les mots s'échappent de sa bouche. Impossible de les retenir :

« Oui, Ordos, j'ai eu peur du lion. Il est puissant, et moi je ne peux pas bouger. Mais le lion a eu peur des pierres et des branches en feu. Comme le bison a eu peur de moi. Alors, il m'a chargé, il aurait pu charger un des chasseurs. Les bisons ne sont pas en colère. Ils reviendront avant les neiges dans la prairie, l'herbe est bonne... Et puis les bisons sont mes amis, je peux le prouver ! »

Li-Ama se mord les lèvres, inquiète. Les femmes, les enfants, les deux chasseurs restent figés, stupéfaits. La vieille Mumme se balance, amusée. Ordos se penche sur Killik, en riant cette fois :

« Ah ! Tu peux le prouver... Eh bien, fais-le ! J'aimerais savoir comment ! Tu vas les appeler et ils vont arriver dans la vallée, entrer sous l'abri... »

Ordos rit aux éclats maintenant. Killik en a assez. Il crie :

« Regarde, Ordos ! »

L'homme se prête au jeu. Il s'agenouille et observe l'enfant d'un air moqueur. Il voit la main droite de Killik survoler la langue de sable qui s'étend sous l'avancée de la roche. Les doigts du garçon s'écartent, se posent et commencent à tracer une silhouette. Ordos ne sourit plus. Un bison vient d'apparaître, là, sur le sable, un bison au galop, avec sa lourde tête, son dos rond. On dirait qu'il court, qu'il est animé par la puissance de sa race, pourtant ce ne sont que des traits sur du sable. Ordos en reste bouche bée.

Killik triomphe. Sans se soucier des réactions de ceux qui l'observent, il fait naître un autre bison, plus petit. Ses doigts le démangent, il a envie de continuer, de trouver encore plus d'espace pour donner vie à d'autres animaux... Killik oublie tout. Il revoit le lion. Le lion est entré dans son esprit, il en est persuadé. Il peut tracer sa silhouette, son crâne plat. Vibrant d'impatience, l'enfant contemple les deux bisons, attentif aux images qui envahissent sa tête en un tourbillon coloré.

Ordos se relève. Très vite, le temps de jeter une jambe en avant, il efface du pied les dessins sur le sable. Li-Ama pousse un petit cri de déception. Killik sourit encore. Ordos parle d'une voix sèche :

« Tu n'as pas le droit, enfant, de faire ce que tu as fait. Je le sens ! Tu n'es pas l'ami des bisons. Tu les provoques encore en les diminuant ainsi. Tu as un cœur de serpent, pour sourire quand de grands malheurs vont frapper le clan. Ne recommence pas, Killik ! S'il le faut, nous t'attacherons les mains. Ce soir, je dirai à O-Yon ce que je pense de toi. »

Ordos sort de l'abri. Il monte le sentier de la falaise. Li-Ama regarde Killik avec un immense étonnement. Puis, d'un geste nerveux, elle essuie ses larmes et prend Awuna contre sa poitrine. Li-Ama regrette soudain qu'on ne puisse pas effrayer Ordos comme les lions, en jetant des pierres et des branches enflammées...

*
* *

« Mamme, tu as trouvé les choses que je t'ai demandées ?

— Oui, je les ai cachées sous un buisson, en bas de la falaise. Je les ramènerai quand il fera nuit. »

Li-Ama échange un regard complice avec son fils. Les chasseurs sont partis du côté de la grande prairie. Ils ne reviendront pas avant trois jours. Les femmes et les enfants sont sous la protection d'Ordos et de deux autres hommes.

Le calme est revenu dans le clan. Ordos a parlé à O-Yon des bisons tracés sur le sable. Le père de Killik a eu un petit sourire pour répondre :

« Le jeu d'un enfant n'a pas d'importance. Killik s'ennuie. Si cela te déplaît, Ordos, je lui attacherai les mains. Réjouis-toi, car j'ai une bonne nouvelle ! Les chevaux sont là ! »

O-Yon, malgré son œil en moins, malgré la cicatrice qui barre son sourcil gauche, connaît les mots porteurs de joie. Ordos reste assis de l'aube au crépuscule sur le seuil de sa grotte, en demandant aux nuages et à la lune d'aider les chasseurs du clan. Un cheval donne moins de viande qu'un bison, mais il donne quand même de la viande. Ordos ne pense plus à Killik.

*
* *

« Mamme, tu es gentille. Il me faudrait aussi une coupelle de terre et des morceaux de bois brûlés. Je les écraserai avec un peu d'eau. Tu verras encore les bisons, mamme... »

Li-Ama prend les mains de son fils en murmurant :

« J'étais si triste quand Ordos les a effacés !

— Il ne fallait pas, mamme. Pour toi, j'en ferai d'autres, sur les écorces de bouleau que tu as ramassées. Des bisons et un lion. Si tu savais, mamme, comme je suis heureux quand je fais ça ! Ordos m'a dit que je n'avais pas le droit, mais je ne peux pas m'en empêcher. »

Li-Ama soupire. Tout serait si simple sans Ordos... Elle a vu les visages éblouis des femmes et des enfants lorsque Killik a tracé les bisons. Ils ont ressenti, comme elle, de la stupeur, du bonheur, car jamais personne dans le clan n'avait fait surgir du sable la forme d'un animal. Li-Ama regarde son fils. Elle ne comprend pas comment cette chose est arrivée, ni pourquoi, mais une vague de joie lui donne envie de rire et d'embrasser Killik plusieurs fois, sans lâcher un instant ses deux mains, encore menues, qui ne sont pas comme les autres mains.

3

Les écorces de bouleau

Les chasseurs ne sont pas encore de retour. Six jours se sont écoulés depuis leur départ. Ordos est inquiet, Li-Ama et les autres femmes aussi. Killik a confiance : son père O-Yon est fort, malin, et les chevaux ne sont pas dangereux.

Pour Killik, le soleil se couche trop tôt. À côté de lui, cachées sous une vieille fourrure, s'entassent des écorces taillées en carré, aplanies par une pierre. Li-Ama les contemple chaque matin une par une, ces écorces. Elle ne s'en lasse pas.

Personne n'ose s'approcher de l'endroit où Killik attend la guérison de sa jambe. Cet angle de terre battue appartient à O-Yon qui dort là avec sa famille. Pendant le grand froid, on tend sur des perches des peaux de renne cousues entre elles. C'est une bonne barrière contre les vents glacés, la pluie et la neige.

« Mamme ! Regarde... »

Killik tend une écorce de petite taille à sa mère. Sur la surface lisse, couleur miel, il a tracé la tête d'un lion, en trempant ses doigts dans la coupelle garnie d'une bouillie noire. Le lion semble grimacer, son œil exprime la colère.

Li-Ama rit en silence, ravie. Killik observe le visage de sa mère. Il ne voit qu'une joie profonde, un émerveillement. Content, il lui dit :

« Mamme... C'est le premier lion. Je dois en faire d'autres, la tête n'est pas vraiment comme je le voulais. »

Li-Ama se tait. Il lui manque des mots pour dire ce qu'éveille en elle l'image du lion. Elle glisse sa main sous la fourrure, lève la pierre, prend sur ses genoux la pile d'écorces. Regarde encore tous les bisons de Killik. Le trait noir la fascine qui reconstitue les bêtes énormes. Les bisons, elle les a vus de loin, ou de très près, un tous les étés. Inerte, comme un amas de chair, puis écorché, sanglant, découpé sur place. Les animaux de son fils, silhouettes noires sur fond clair, paraissent vivants. Avec respect, Li-Ama replace les écorces dans leur cachette, le lion en dernier.

Killik ne dit rien. Ses mains sont immobiles, posées à plat sur ses cuisses. Un cri de bébé. Awuna réclame sa mère. La vieille Mumme, qui veillait sur le sommeil de la petite, appelle Li-Ama.

La vie continue sous le grand abri. Toujours la même, les feux à garnir, les peaux à tanner, à coudre, et la cueillette, le fumage des poissons, brochets et saumons. Toutes ces tâches occupent les femmes du matin au soir. Les enfants, quand ils ne jouent pas, aident de leur mieux. Killik s'en souvient. Lui aussi, comme Ano ou Belti, a couru d'un foyer à l'autre. Il a rapporté des noisettes, des mûres et des baies de genièvre.

Maintenant, il se sent différent. Cela lui fait un peu peur. Le moment approche où Ordos viendra enlever les attelles. Que fera-t-il quand il sera guéri ? Retournera-t-il jouer avec Ano ? Peut-être que non... Ano ne l'approche plus. Ni Belti, une fille de dix ans aux cheveux blonds. Pourquoi ? Killik baisse la tête. Tant pis. Il ne s'ennuie plus, plus du tout. Il prend une écorce, trempe ses doigts dans le liquide épais, couleur de bois brûlé. Un bruit le fait sursauter. La vieille Mumme est à côté de lui. Elle a réussi à venir jusque-là, en se traînant sur les mains et les genoux.

« Ne crains rien, Killik ! Je suis la seule à ne pas avoir vu les bisons sur le sable... Le soir, les femmes en parlent encore près du feu. Montre-les-moi, petit. Je suis curieuse. »

Killik a l'impression de découvrir le visage de la vieille Mumme. Il scrute la peau ridée, jaunâtre, la bouche sans lèvres, les dents usées. Ce visage au regard toujours pétillant.

« Ordos ne veut plus que je fasse des bisons, Mumme...

— Oui, mais tu ne l'as pas écouté. De loin, je t'ai vu faire de drôles de gestes, avec tes doigts, sur des écorces comme celle-là ! »

Killik hésite. La vieille Mumme s'impatiente :

« Aie confiance en moi, petit !

— Bon, je veux bien, mais tu ne diras rien à Ordos !

— Je ne suis pas si folle. Mon esprit a gardé sa lumière et sa force. Alors, montre-moi ! »

Killik plonge son index dans le mélange et trace un bison. La vieille Mumme se penche davantage, regarde bien, puis elle se met à rire, l'air extasié :

« C'est une bonne chose, Killik ! Je suis contente ! Si contente ! Je savais bien qu'un jour quelqu'un recommencerait à faire ça... »

Killik sent les battements de son cœur s'accélérer. Dévisage la vieille femme en l'interrogeant du regard.

« Oui, Killik ! J'ai déjà vu un animal tracé sur un caillou. J'avais à peu près ton âge, mon clan vivait bien au-delà de ces falaises. De l'autre côté de la prairie... Un des chasseurs avait tracé la tête d'un ours sur un galet. Nous étions tous en admiration.

— A-t-il tracé des bisons... ou des lions ? demande Killik, fasciné.

— Non. Quelques jours plus tard, ce brave chasseur a été tué... par un ours. Le chef du clan a jeté le galet dans la rivière, il était sûr que ce geste avait attiré le malheur sur le chasseur, que l'ours s'était vengé. Ordos connaît cette histoire. Moi, je suis très vieille, j'ai vu bien des choses. La mort frappe souvent les chasseurs, car l'ours est redoutable, le bison aussi. Et les lions ! As-tu vu les crocs de celui qui a rôdé près de l'abri ? »

Killik a la gorge nouée. Il fait oui de la tête en jetant un coup d'œil soucieux sur la cachette des écorces. La vieille Mumme a deviné.

« Tu as d'autres animaux à me montrer ? Ou bien as-tu peur d'être emporté par le lion... et mis en pièces ?

— J'ai peur, mais pas beaucoup. Tiens, regarde. »

Elle voit : les bisons, une dizaine, et le lion à la gueule ouverte. Elle dit doucement comme on chantonne :

« Continue, Killik. Cela me donne tant de joie au cœur. Je ne crois pas que le lion te mangera, mais cache-toi bien. Si Ordos voyait tout cela, il ne te le pardonnerait pas. »

*
* *

À la nuit tombée, les chasseurs reviennent. Quatre d'entre eux portent sur leur dos de lourds quartiers de viande rouge, les deux autres ramènent sur un travois un corps inanimé. Ordos est descendu de sa grotte pour les accueillir. Il n'a pas le temps de se réjouir à la vue de la viande, car aussitôt on dépose à ses pieds le cadavre de Marek, le père de Belti. Sa compagne se jette au sol en se lamentant et tous l'imitent.

Killik voit Li-Ama se griffer le visage. Belti sanglote, les bras croisés sur sa poitrine. La vieille Mumme pousse des plaintes sinistres. Marek était son fils, le dernier-né.

O-Yon raconte. Il a les traits tirés par la fatigue.

« C'est un cheval qui l'a blessé. L'étalon. Il nous a attaqués pendant que nous encerclions une femelle. Marek a voulu le repousser avec son épieu, mais la bête s'est levée et, avec ses sabots, lui a ouvert le crâne. Marek est resté endormi longtemps. J'ai tué l'étalon et la femelle. Nous avons ramené une partie de la viande ; le reste, nous l'avons caché sous des pierres. Il faut retourner dans la prairie le chercher. Vite ! L'odeur va attirer les loups et les lions. »

Ordos ne parle pas tout de suite. Killik n'entend pas le discours murmuré qui répond aux paroles d'O-Yon. Les chasseurs repartiront à l'aube, sans doute. Ce soir, à la lumière jaune des feux, Marek va être enterré au bord de la rivière. Complaintes de la vieille Mumme, lamentations des femmes. Killik écoute, regarde. Personne ne s'occupe de lui. Sa mère lui a confié Awuna, qui dort déjà.

Ordos ramasse des fleurs et des plantes le long de la falaise. Il gesticule, se penche, se redresse, lève les mains vers la lune. O-Yon et un autre chasseur enduisent le corps de Marek d'une pâte ocre. Une fosse a été creusée, peu profonde, à l'aide de gros os plats.

Killik réfléchit. Il n'a pas tracé la silhouette d'un cheval. Marek non plus. Pourtant le dur sabot du cheval a tué Marek.

Les chevaux. Leurs galops légers sur l'herbe. L'encolure tendue, les naseaux ouverts au vent, le corps trapu, la crinière en mouvement. Killik ferme les yeux. C'était l'été dernier, à l'époque des baies mûres. Un petit troupeau avait déboulé dans le vallon, en quête d'eau. L'étalon lançait des cris aigus, en observant de son œil noir les créatures du grand abri. Un poulain faisait des bonds de gaieté. Les femelles montraient un ventre distendu, une croupe ronde.

Les chevaux... Killik se souvient. Il serre les poings pour contenir la fièvre de ses doigts. Demain, oui, demain il fera des chevaux. À cette idée, il éprouve un peu de bonheur. Une de ses mains se détend, va se nicher sur la fourrure qui cache les écorces. Au même instant, une grande ombre efface le spectacle de l'abri illuminé.

Ordos est là, immobile. On dirait un oiseau de nuit qui a trouvé sa proie. Il se penche pour parler, Killik ne voit rien de lui, mais il devine la face froide, avec au front les rides de la colère.

« Killik ! Marek est mort. C'était un bon chasseur. Je priais les nuages et le soleil de protéger nos chasseurs. Ils ne m'ont pas écouté. Les mauvaises choses,

Killik, n'oublie pas ! Elles sont là, elles rôdent autour de la falaise, serpentent dans l'herbe. »

Pourquoi Li-Ama ne vient-elle pas défendre son fils ? Ou O-Yon ? Killik s'affole, la terreur l'envahit. Il regrette la mort de Marek, mais il n'est pas coupable. Bien sûr, il n'a pas encore pleuré. Ordos l'impressionne tant, que des larmes lui viennent, justement.

Ordos détaille le visage de l'enfant. Le front haut et carré, le nez fin, la bouche gonflée d'un sang vif et ces yeux noirs, ruisselants, qui paraissent le défier, même pleins de peur. Ordos renifle à la façon des loups. Il cherche le danger, là, autour de ce garçon prisonnier de sa jambe cassée. Soudain il capte la tension de la main posée sur la fourrure. Devine une sorte de tremblement. Avec la même rage qui l'animait lorsqu'il a effacé les bisons sur le sable, Ordos arrache d'un geste brutal le morceau de peau d'ours. Une pierre roule. La pile d'écorces se répand. Awuna se réveille en hurlant.

Killik respire à peine, changé en rocher. Les cris de sa sœur ne le tirent pas de sa frayeur, ni les appels inquiets de Li-Ama. Ordos ramasse les écorces une à une. Malgré la pénombre, il distingue des formes, le dos d'un bison, une patte, une corne, puis une tête de lion. Il ne dit pas un mot, ne gesticule pas. Il se tient très droit, réfléchit longtemps. Enfin il s'éloigne de Killik. Il lui faut alors très peu de temps pour marcher jusqu'au grand foyer situé au milieu de l'abri. Encore moins de temps pour jeter au cœur des flammes la pile d'écorces. Cette nourriture redonne de la force au feu. Il enfle et monte vers la voûte en ronflant, en dansant. Chacun est éclaboussé d'une clarté orange, si vive qu'elle éblouit.

Killik pleure sans bruit, le visage tourné vers le vallon empli d'ombres. Ordos tend ses mains osseuses vers le brasier. Il sourit, persuadé d'avoir vengé le chasseur Marek.

4

La punition

Le grand froid vient couvrir de neige le monticule de terre sous lequel repose Marek. L'eau vive qui ruisselle le long de la falaise se fige, changée en de longues gouttes transparentes, aussi dures que la pierre. C'est l'époque de la vie ralentie, du sommeil bienfaisant. Sous les fourrures, il fait bon, et en dormant on oublie le vent trop rude, la nuit interminable, la faim.

Killik marche d'une drôle de façon, sa jambe le fait encore souffrir. Il boite un peu. Ordos passe l'hiver parmi le clan. Sa présence irrite Killik, qui pense souvent aux écorces brûlées.

Un matin, la rivière rugit sous la force des eaux libérées. L'air s'adoucit. La saison chaude, avec ses fleurs et ses lumières, revient à pas de loup. Lorsque l'herbe pousse, d'un vert tout neuf, les enfants deviennent ivres de chaleur et d'espace. Ordos regagne son repaire où nul n'a le droit d'entrer.

Killik respire mieux. Il se sent libre, enfin... comme l'eau de la rivière.

*
* *

« Ohé, Killik ! Qu'est-ce que tu fais par ici ? Viens voir ! Belti a trouvé une petite grotte. Monte vite, il y a des baies rouges à l'entrée, les meilleures, celles qui piquent la langue ! »

Ano fait de grands signes pour encourager Killik à le rejoindre. La pente est rude, semée d'éboulis. Quelques racines tordues, qui émergent du sol, servent de prise. Killik s'accroche, se hisse comme il peut vers le méplat de la falaise. Il transpire tant qu'une nuée de moustiques tournent autour de lui.

Maintenant il est tout près d'Ano, qui lui tend la main et l'aide à se rétablir sur une longue avancée de pierre grise. Killik retient une petite grimace de douleur. Sa jambe lui obéit mal. Il boite encore. Ano et Belti ont commencé à se gaver de fruits, avec des mimiques de joie, des éclats de rire.

Killik les regarde d'un air agacé. Il avance d'un pas, s'arrête.

« Mais viens donc ! crie Ano. Qu'est-ce que tu as ?

— Il y a peut-être une bête au fond de la grotte...

On ferait mieux de redescendre, ce n'est pas prudent ! »

Ano pouffe, les mains sur les hanches. Il a la bouche barbouillée d'un jus rouge comme du sang.

« Peureux ! Voilà ce qui arrive quand on reste des jours couché dans son coin... Tant pis pour toi ! Les baies sont presque mûres ! »

Belti danse d'un pied sur l'autre, moqueuse. Killik hésite. Doit-il avancer encore ou les convaincre de partir ?

« Je vous dis que c'est dangereux ! Et il y a les mêmes baies près de l'abri, en bas, dans le vallon. Nous ne devons pas nous éloigner autant.

— Et toi alors ? Qu'est-ce que tu venais faire par ici ? répond Ano.

— Je vous cherchais, pour vous dire de rentrer ! »

Killik ne sait pas mentir. Ses joues s'enflamment. Belti le dévisage, puis elle hausse les épaules. Par bravade, elle s'installe, assise par terre, à l'entrée de la petite grotte. Belti a onze ans, sa poitrine est déjà ronde, ses cheveux sont tressés. Elle fait la belle, entre Killik et Ano. L'un des deux garçons sera sûrement son compagnon dans quelques saisons.

Ano fanfaronne aussi, en faisant le geste de se glisser dans la cavité. Killik se mord les lèvres, blanc de colère. Il crie, d'une voix étrange :

« Ne va pas plus loin, Ano, je suis sûr qu'une bête vit là-dedans !

— Si une bête y habite, elle est trop petite pour me faire peur, hé, patte folle ! »

« Patte folle », c'est le nom que donnent les enfants du clan à Killik, les jours de querelle. Il grimace, humilié. Ano n'est plus son ami. Il le comprend d'un seul coup, mais il n'a pas le temps d'y penser, car Ano se penche pour examiner le sol de la grotte, suivi de Belti, toujours rieuse. Brusquement ils se redressent tous les deux. Killik n'ose plus bouger. Il attend. Cela ne tarde pas. Le cri d'Ano, un cri de surprise avec une petite note de peur :

« Oh ! Tu as vu, Belti ?

— Oui ! »

Le « oui » retentit comme un appel de détresse. Ano et Belti restent immobiles. Seuls leurs yeux s'agitent, à droite, à gauche. Les deux enfants sont inquiets. Killik baisse la tête. Cette fois, il est perdu. Un peu de courage lui vient, juste assez pour supplier :

« Ano... Belti... Ne le dites pas, je vous en prie... Ne dites rien ! »

Ano regarde les bisons tracés sur la paroi rocheuse, silhouettes noires sur la pierre grise. Belti contemple les têtes de lion, elles aussi tracées en noir, mais colorées de roux. Ano parle le premier, d'une voix haute, faussée par l'émotion :

« Ordos t'a défendu de faire ça, Killik ! Pourquoi as-tu recommencé ? À cause de toi, Marek est mort. »

Belti marche droit vers le coupable. Son visage a pris une gravité étonnante qui la vieillit.

« Ano a raison, Killik. Mon père est mort à cause de toi. Pendant que tu traçais des bisons sur les écorces. »

Killik proteste farouchement :

« C'est faux ! Vous êtes aussi sots que tous les autres ! Marek n'est pas mort à cause de moi... Je n'ai jamais fait de chevaux et c'est un étalon qui a tué ton père, Belti... Pas un bison, ni un lion ! »

Les deux enfants reculent, effarés. Ils fixent Killik comme s'ils avaient en face d'eux une créature étrangère et dangereuse. Ils vont s'enfuir, courir à toutes jambes jusqu'au grand abri. Ils vont prévenir Ordos. Killik balbutie :

« Écoutez, si vous voulez, je vais effacer les animaux. Ils sont petits, ce ne sera pas long. Ne le dites pas à Ordos. Ano, je t'en prie ! »

Ano ne veut rien entendre. Il secoue ses cheveux, recule encore. Les cailloux de la pente roulent sous ses pieds. Belti l'a devancé, elle est déjà en bas du ravin.

Killik se laisse tomber sur le sol. Il ne bouge pas, les mains posées sur ses genoux. Il n'effacera pas les bisons et les têtes de lion. Il attendra le clan. Ordos, son père O-Yon, sa mère Li-Ama et tous les autres... Tous verront les bêtes dessinées sur la paroi de la petite grotte. Après, peu importe ce qui arrivera.

Il est fatigué. Chaque fois qu'il le pouvait, il a marché jusqu'ici, loin du grand abri. Pour jouer avec le noir du bois brûlé, la pâte tendre de l'argile rouge détrempée d'eau. Il se croyait protégé des curieux. Il s'était imaginé que personne ne le découvrirait dans ce coin perdu de la vallée. Il a perdu. Ano n'est plus son ami, ses parents ne pourront pas le défendre.

L'hiver a été long, rude. La vieille Mumme est morte. Un bébé est mort. Marek n'est plus là pour nourrir sa compagne et Belti. La faim a durci les ventres, l'ennui a rongé les esprits. Ordos n'aura jamais tort après un hiver aussi cruel.

Killik lève son visage vers le ciel. Quelques nuages gris y défilent, quelques corbeaux y tourbillonnent. Tout est paisible, la pente semée de genévriers, le fond du vallon et son filet d'eau vive. Le bruit du vent ressemble à une chanson de mamme pour Awuna. Awuna qui sait marcher maintenant et qui entoure de ses bras le cou de Killik quand il la prend contre lui.

*
* *

« J'emmène Killik loin de vous tous ! Il ne peut pas rester parmi nous. Son esprit est un danger, comme ses mains. Son œil noir me nargue, même maintenant, alors qu'il sait que je vais le conduire loin de son clan, loin de sa mère ! Il ne me demande même pas pardon, il ne supplie pas. Je vais bander ses yeux avec cette peau de martre, qui repousse les mauvaises forces cachées derrière le front. Ne pleure pas, Li-Ama ! La saison chaude n'est pas finie. Killik aura une provision de viande, un épieu pour chasser. À son âge, j'ai connu l'épreuve de l'isolement. Elle purifie le corps et le cœur. Killik en a besoin. Il doit renoncer à sa folie. »

Ordos parle, parle, parle. Li-Ama pleure doucement, Awuna cramponnée à son cou. O-Yon est blême de rage. Rage contre Ordos qui chasse son seul fils du grand abri, rage contre ce fils, Killik, qui n'en fait qu'à sa tête.

Ordos ajoute d'un ton plus doux :

« Je laisserai Killik dans un lieu sûr. Je ne lui veux aucun mal. Je protège le clan en agissant ainsi. Il ne devait pas désobéir. Les bisons vont revenir dans la prairie. Si Killik reste, les bisons seront furieux. Nos épieux se briseront sur leur dos, des chasseurs seront blessés. Viens, Killik ! »

Les yeux bandés, l'enfant sent la main calleuse d'Ordos s'emparer de la sienne. Il avance à tâtons, guidé par Ordos.

Ils s'en vont...

Ils marchent longtemps. Sous les pieds nus, les pierres sont tantôt rondes ou aiguës, la terre tantôt dure ou friable. Killik, aveuglé, respire à pleins poumons. Il voudrait reconnaître à l'odeur le chemin mystérieux que suit le vieil homme, muet à présent. Sans doute sourit-il, heureux d'éloigner ce garçon de onze ans aux doigts menaçants...

Ils dorment une nuit sous l'avancée d'une falaise, Killik mange et boit, mais il ne dit pas un mot. Par fierté peut-être, mais il ne veut pas supplier Ordos d'enlever ce bandeau de peau qui enserre son front, lui tient chaud et le change en infirme. Il ne demandera rien à Ordos. Rien. Dans son cœur naissent la colère et la haine. Le chagrin, pesant, étouffant, était déjà là, à l'instant où il a quitté le grand abri. Quitter Li-Ama, sa mère si tendre, si bonne. Il la revoit, émerveillée devant les formes de bisons et de lions. Oui, il revoit ses mains caresser les écorces de bouleau. Au souvenir du feu qui a dévoré les écorces, Killik retient une envie de pleurer. Il ne doit pas pleurer. Ordos ne verra pas de larmes s'échapper du bandeau.

Le lendemain, ils marchent encore. Trois jours. L'homme maigre et grisonnant, l'enfant brun et doré qui trébuche parfois. L'air fraîchit quand Ordos s'arrête enfin.

« Agenouille-toi ici, Killik. Je pose à côté de toi de la viande et un épieu. Une peau de renne pour te coucher. Ne bouge pas de là. Tu as de l'eau à proximité... un ruisseau. Tu es à l'abri. Je vais ramasser du bois pour allumer un feu. Ne bouge pas, je reviens bientôt. Garde la peau de martre sur tes yeux. Tu t'es montré sage durant le voyage. Cela me prouve que les forces mauvaises cachées derrière ton front sont déjà affaiblies. Tu vas guérir, Killik ! »

Killik a un petit mouvement de rage, mais il se tait. Ordos l'a emmené si loin... Il pourrait bien le tuer, raconter ensuite au clan ce qu'il voudrait... Il ne faut pas provoquer sa colère. Il y a autre chose. L'enfant espère vaguement que l'homme va passer la nuit avec lui. Toute cette histoire est peut-être faite pour lui faire

peur, le rendre sage, le guérir vraiment. Ordos le ramènera peut-être parmi le clan un peu plus tard. Peut-
être... Peut-être... Une ronde de « peut-être » tourne
dans la tête de Killik.

Le temps passe. Pas un bruit de pas, pas un craque-
ment de branche brisée. Le silence, lorsque l'on
demeure si longtemps les yeux bandés, devient
intense, effrayant.

« Ordos ? »

Killik a murmuré, inquiet. Soudain il dénoue le bandeau de cuir, il l'arrache, le jette. Les images redon-
nées l'éblouissent. Là-bas, emplissant le porche étroit
d'une haute caverne, le ciel resplendit, rose et or. Le
soleil doit se coucher. Ordos a disparu. Il ne reviendra pas. Il a menti. Killik hurle de toutes ses forces :

« ORDOS !!! ORDOS !!!... »

Celui-ci doit être loin. Killik est seul, tout à fait seul.
Il voit près de lui la peau de renne, la viande séchée,
l'épieu.

L'enfant se lève. Il ne s'est jamais senti aussi petit.
Aussi faible sous le poids de la roche. Aussi seul. Il
croit deviner au loin des hurlements de loups.

« Je dois allumer un feu... Vite... »

Killik est soudain comme un jeune animal affolé.
Bien sûr, Ordos savait ce qu'il faisait en le laissant ici.
Il court sur une pente bleuie par l'ombre des falaises.
La grotte s'ouvre dans une gorge immense qu'il ne
connaît pas. Le paysage lui-même lui paraît complète-
ment inconnu. Des pierres énormes entourent un filet

d'eau, plus bas. Des arbres rabougris se tordent, surgis d'un repli de la pierre. C'est un lieu vivant, seulement peuplé par les fauves et les rapaces. Pas une senteur de fumée, pas un cri d'homme... Killik court, se charge de bois mort. Le rapporte à la caverne. Puis il ramasse un galet, le brise net sur un autre galet. Coupe des ronces et des prunelliers, s'écorche, se déchire. Ses mains saignent, ses bras. Il s'en moque.

À la nuit noire, il a fermé l'entrée de son refuge. Il a allumé un feu.

Il est fier de lui :

« J'ai suivi les conseils de mon père... Je suis un chasseur ! Les bêtes n'oseront pas approcher. »

Désespéré aussi :

« Je suis tout seul... Mamme... Awuna... »

La chaude présence du clan lui manque si fort qu'il en tremble de terreur. Il pleure, recroquevillé près des flammes. Dehors, le ciel est devenu d'un bleu profond. C'est la nuit, la nuit puissante, palpitante de créatures redoutées.

Quand les loups ont hurlé, de nouveau, plus près, Killik a enfoncé sa tête entre ses épaules. Il a d'abord refusé de les écouter, mais les hurlements modulés, chants de faim et de chasse, se sont amplifiés, sont devenus de plus en plus proches.

Les loups ont gravi la pente, en hésitant, tous leurs sens en éveil. Une piste, ils suivent une piste fraîche, prometteuse. Une proie les attend au creux de la falaise.

Entre leurs dents et la proie il y a une masse insolite de branches épineuses et surtout cette chose bizarre, dangereuse, dont la vue les hérisse : le feu.

Ils observent, rôdent, hument les odeurs mêlées, le bois brûlé, la viande sèche, celle de la créature cachée derrière les flammes. Un gibier convenable, d'une taille alléchante, mais un gibier qui soudain se redresse, agite les bras, pousse des cris surprenants, avant de jeter des pierres et des galets. De jeter du feu... Les loups préfèrent chasser plus loin. Ils fuient, encouragés par les clameurs étranges qui s'échappent de la caverne et les poursuivent. Killik hurle :

« Ce que je fais, c'est bien et c'est beau, tu entends, Ordos ? Je le ferai encore... longtemps... C'est bien et c'est beau...

— Beau... beau... beau... »

Puis il tend vers la paroi rocheuse la branche dont un des bouts est noir, charbonneux.

5

La grande caverne

« Si Ordos le voyait ! Celui-ci, il n'oserait pas l'effacer ! »

Killik a chuchoté ces mots avec un sourire de triomphe. Il a oublié le regard avide des loups, les dangers de la nuit. Il a oublié sa solitude. Devant lui, éclairé par le feu dansant, il y a le bison. Un grand bison qui semble prêt à partir au galop. Du bout du nez au bout des pattes, rien ne lui manque. Force pure. Élan figé, avec, vivant, l'œil un peu inquiet.

« C'est beau... c'est tellement beau ! »

L'enfant penche la tête. Il a envie de pleurer, mais cette fois ce n'est pas de la peur ou du chagrin. C'est une émotion toute neuve, face à ce grand bison créé par lui, par ses doigts. Il le trouve beau, mais ce n'est pas de la fierté qu'il ressent. Le bison est beau comme le visage de sa mère, comme le soleil quand il se lève derrière la montagne. Cette beauté lui donne du bonheur.

Killik recule jusqu'au feu, cherche une autre branche charbonneuse. Un instant, il pense que le vieil Ordos est peut-être caché près de la caverne. Il pourrait surgir, rageur, pour détruire l'image du bison. Non, Ordos ne reviendra pas.

« Les loups l'ont mangé ! »

Un petit rire s'élève dans le silence. Killik s'en mord aussitôt les lèvres, car Ordos possède quand même quelques pouvoirs. Il l'a vu un jour faire reculer une hyène par la seule force de son regard. Ordos est loin, Killik en est persuadé. Un long tison à la main, il se rapproche de la paroi. À droite du bison, il examine les aspérités de la pierre. Il a appris cela seul, dans la petite grotte découverte par Ano et Belti. Le rocher se prête bien au tracé des animaux, mieux que les écorces ou le sable.

Killik se souvient du sourire désespéré de sa mère lorsqu'elle a vu les dessins de bisons et de lions, là-bas, dans la petite grotte. Li-Ama était entourée par le clan, elle n'a pas eu le temps de les contempler, car Ordos, visage crispé par le dégoût et la colère, les a fait disparaître, à grands coups de poignées de sable, de feuillages, et à la fin de sa large paume.

« Ici, tu ne reviendras pas, Ordos le sage... Je peux faire ce que je veux, enfin ! »

Il se campe bien droit sur ses jambes, respire doucement. Sa main droite se lève, ses yeux prennent un éclat fixe. Les chevaux... vitesse, élan, grâce, souplesse. Le bruit de leurs sabots sur la plaine, leurs hennissements, leurs corps musclés, lourds et trapus, la tête plus fine.

Killik appuie sur le rocher le bout noir du tison, esquisse les oreilles. Le trait descend, forme l'encolure et la crinière, en se soulevant de brefs moments. Le dos, la croupe, la queue emportée par le vent de la course... le ventre rond, les membres légers.

L'étalon qui a tué Marek... ? Non, une jument. Elle attend un petit mais cela ne l'empêche pas de galoper... Une belle jument !

Il parle bas, pour lui-même. Observe le cheval et le bison. Apporte un trait de-ci de-là. Recule de l'autre côté du feu. Le cheval est beau aussi. La tête ne plaît pas à Killik mais bientôt il fera mieux. Il en a la certitude. Comme intimidé, il regarde les doigts de sa main droite, les étire, les fait bouger. Ce sont bien ces doigts-là qui ont tracé le bison et le cheval. Y a-t-il autre chose ? Killik l'ignore. Épuisé, il s'allonge sur la peau de renne, contre le roc. Il n'a ni faim ni soif. Juste envie de dormir, le visage tourné vers les silhouettes du bison et du cheval.

Il est heureux.

*
* *

Quatre jours se sont écoulés. Killik a déjà des habitudes. Il va boire au ruisseau, l'épieu à la main en cas de mauvaises rencontres. Il a relevé des empreintes de lion. La peur ne le quitte pas, mais à cela aussi il s'est habitué. Sa provision de viande est presque épuisée. Il a cueilli des baies, déterré des racines, de celles qui sont succulentes cuites sous la braise.

Tant que le soleil éclaire la vallée, Killik supporte bien l'épreuve de l'isolement. Le soir, la peur devient pesante, obsédante, mais de moins en moins. Il a réussi à se constituer une bonne réserve de bois. La nuit, son feu flambe haut.

Killik n'a pas dessiné d'autres animaux. Il attend. Son esprit se développe, mûrit. Sa plus grande peur, c'est de voir réapparaître Ordos et ses mains destructrices. Ce soir encore, il a guetté les bruits du lointain. Un lion a rugi ; les falaises ont renvoyé l'écho de son cri plein d'une bonne lassitude. « Le lion a mangé ! s'est dit l'enfant. Il ne viendra pas ici. » Les loups hurlent, mais ils sont de l'autre côté du vallon. Ils n'ont pas osé s'approcher une nouvelle fois de la caverne. Killik regarde derrière lui, vers le trou d'ombre qui s'ouvre au fond de son abri. Si des ours ont vécu au fond de cette caverne, il n'en reste aucune trace, mais quand régnera le grand froid, il pourra en venir un, le ventre gavé de baies et d'herbes, de menus gibiers, le corps protégé par une épaisse couche de graisse en vue de l'interminable hiver.

Killik chasse cette idée. Il ne veut pas penser à la saison du grand froid. C'est une saison aride, dure pour le corps et le cœur. On la vit parmi le clan, dans la chaleur des abris et des foyers.

« Et si j'allais voir ce qu'il y a plus loin ? Ce qu'il y a dans le ventre de la falaise ? »

La curiosité ranime Killik. De son pas boitillant, il marche jusqu'au feu, et là, il se prépare une bonne torche, selon les conseils de son père. Ensuite, à la fois excité et inquiet, il avance vers les ténèbres.

Il suit d'abord une galerie étroite, en se penchant un peu, pour ne pas se cogner la tête. Ses pieds nus éprouvent la souplesse du sol, qui dégage une odeur particulière, celle de la terre humide et grasse. Killik hésite parfois, pris de terreur. Derrière lui le noir total, devant lui le même noir plein de mystère. La clarté mouvante de sa torche révèle des formes étranges : des colonnes de pierres brillantes nappées d'une eau épaisse. Il passe un doigt sur l'une d'elles, teintée de pourpre. C'est froid et lisse.

Puis la galerie s'agrandit, se change en une vaste salle dont le plafond semble très haut. Killik s'arrête. Il lève sa torche, découvre des pans de rochers mollement ondulés. Sous ses pieds, la glaise paraît plus souple encore.

« Je dois continuer... Je ne dois pas avoir peur. Cette grotte est immense. Elle m'appartient... »

Killik traverse la salle, hésite entre deux passages. Prend le plus large, et pas à pas s'enfonce dans le ventre de la falaise. Bientôt, il doit moucher sa torche contre le roc, pour la raviver.

C'est un geste délicat : il faut agir avec précaution, car il y a le risque d'éteindre la torche et de se retrouver prisonnier de ce monde souterrain. Killik le sait. L'angoisse le rend maladroit. Il dit d'une voix changée :

« Tu serais bien content, Ordos, si je me perdais ici, dans le noir ! Mais cela n'arrivera pas, tu peux en être sûr ! »

Killik tremble de crainte ! Il observe d'un œil effrayé le caprice des flammes orange. Elles grésillent, se tordent : l'obscurité aussitôt se précipite, comme pour dévorer l'enfant. Heureusement, les flammes reprennent de la vigueur, s'allongent et la lumière repousse l'ombre.

« Je continue... encore un peu ! »

Une nouvelle salle. Plus grande que la première. Un ruisseau la partage en deux parties. Il coule tranquille, avec un murmure rassurant. Killik y trempe ses orteils. Éclate de rire. Puis il se retourne en tendant sa torche vers le fond de la salle. La stupeur le paralyse. Là-bas, un crâne aux orbites vides, posé sur un bloc de pierre, semble le fixer d'un air féroce. L'enfant murmure :

« L'esprit de l'ours vit dans la grotte... C'est un lieu magique ! »

Le jeune garçon n'ose pas avancer. Il contemple le crâne jauni un long moment, avant de se décider à l'approcher. La crainte est moins forte que l'émotion.

D'autres hommes sont venus jusque-là, au sein de la terre. Ils ont dû chanter la force de l'animal sacrifié, en suppliant son esprit de les protéger. Quand ? Il y a sans doute des saisons et des saisons, bien avant la naissance de la vieille Mumme.

« Je m'appelle Killik ! Je suis le fils de Li-Ama et du chasseur O-Yon ! Entends-tu, esprit de l'ours ? Je m'appelle Killik...

— Killik... Killik... »

Les sons résonnent, puis se dispersent au gré des galeries. Un faible écho les renvoie encore :

« Killik... Killik... »

L'enfant sursaute. Sa torche se consume rapidement. Un courant d'air la fait grésiller. Killik recule. Il ne doit pas aller plus loin. Il faut rejoindre la première caverne, son abri où brûle le feu.

« Je vais revenir ici. Demain, les autres jours aussi. L'esprit de l'ours est plus fort que celui d'Ordos. Personne ne viendra jusque-là. Je sais ce que je vais faire... Et je le ferai ici...

— Ici... ici... »

6

Les racines amères

Fleurs et baies ont disparu. Le vent a repris sa chanson sifflante et âpre qui annonce le gel et la neige. Les loups, dont le poil s'est épaissi, parcourent les plaines couvertes d'une herbe jaune, sur les traces des antilopes et des chevaux. Le court été, source de vie, est déjà fini.

Dans la caverne, le feu est éteint. Lit de braises noirâtres, tisons abandonnés autour des pierres blanchies par la chaleur. Un tronc d'arbre, appuyé contre le rocher comme pour le soutenir, porte quelques branches minces. Sur l'une d'elles, un corbeau est perché. Il dort, la tête sous l'aile.

Un cri le réveille, un cri plaintif :

« Cro ! Cro ! »

L'oiseau étend ses ailes, étire une patte, lève sa tête. Puis il volette lourdement vers le fond de la caverne. Se pose sur un replat de la paroi, près de Killik enroulé dans sa peau de renne.

« Cro... Reste avec moi... J'ai peur... »

Le corbeau s'approche à petits pas balancés. Il frotte son bec contre le front de l'enfant.

Killik sourit. La fièvre le tient couché depuis trois jours. Il transpire, grelotte, se sent glacé ou brûlant. Il a d'abord résisté à ce mal qui le dévorait, mais ses forces ont vite diminué.

Malgré la belle saison, Killik a terriblement souffert de la faim. Il a mangé tout ce qu'il trouvait : escargots, poissons piégés par la baisse des eaux, petit gibier chassé au prix de ruses malhabiles. Ordos le savait. Uni, le clan ne meurt pas de faim. Les femmes connaissent les plantes qui guérissent la fièvre et celles qui nourrissent.

Seul, Killik n'avait aucune chance. Le ventre creux, il a déterré des racines inconnues, les a croquées crues, avidement. Le goût le faisait grimacer, un jus amer emplissait sa bouche, mais son estomac avait cessé de le torturer.

Maintenant, il ne quitte plus le replat sur lequel il s'est hissé péniblement. Quand il a compris qu'il ne pouvait plus ramasser de bois, Killik a pensé à ce surplomb assez large. L'hiver approchait. Sans feu pour en défendre l'entrée, la caverne attirerait les fauves.

« Cro... tu es gentil ! Va manger... toi tu peux voler. »

Le corbeau penche la tête, sautille. Il hésite. D'un seul élan, le voici battant l'air vers le vallon. Killik ferme les yeux, se pelotonne sous la peau de renne trop mince.

Killik a trouvé l'oiseau près du ruisseau, peu de temps après avoir découvert la vaste salle où reposait l'esprit de l'ours. Le jeune corbeau, un peu effrayé, s'est laissé capturer. Killik l'a nourri et, en quelques jours, ils sont devenus amis. Cro a écouté de longs bavardages, du matin au soir. Il suivait l'enfant partout, lorsqu'il cueillait des baies ou cherchait du bois mort. Killik vibrait de joie quand le corbeau se perchait sur son épaule avant de s'envoler.

Le jeune garçon vagabondait souvent. Il marchait en scrutant le sol, en quête de choses mystérieuses. L'oiseau le voyait fouiller la glaise humide des marais ou le sable doré des collines. Une énergie surprenante avait soutenu Killik pendant toute la belle saison. Maigre, bruni par le soleil, la peau marquée d'égratignures et de plaies séchées, l'enfant solitaire semblait échapper à tous les dangers, comme devenu invisible au milieu d'un monde grouillant de vie.

Killik avait la certitude d'être protégé par l'esprit de l'ours. Jusqu'au jour des racines amères, dont la sève vénéneuse le torture à présent.

Ce matin, le mal se montre féroce. Il se répand avec encore plus de violence dans le corps de Killik, qui s'abandonne au délire. Des mots lui échappent, qu'il entend à peine :

« Mamme... Ma douce mamme... Awuna... Mamme, j'ai mal ! »

Ses pensées se mêlent, chaos d'images et de souvenirs. Il revoit le visage de sa mère, la charge des bisons dans la prairie. La vieille blessure de sa jambe le fait souffrir, comme si l'os cassé se réveillait et hurlait de colère. D'autres mots chuchotés, du bout des lèvres sèches :

« Soif ! J'ai soif... Mamme, donne-moi de l'eau ! »

Lorsque Cro revient se nicher près de l'épaule de Killik, l'enfant ne s'en aperçoit même pas. Une mauvaise sueur mouille son front et ses joues. Il garde les paupières fermées, la bouche entrouverte. Son esprit se promène de-ci de-là, rencontre l'esprit de l'ours, et tous deux contemplent quelque chose de très beau, éclos dans les profondeurs de la terre.

*
* *

Les ours ont gravi la pente, leur fourrure rousse hérissée par le vent. Ils sont deux. Ils grognent et poussent des cris de rage, dents jaunes découvertes, en se regardant d'un œil fou. Ils avancent séparés par un éboulis de cailloux, pourtant ils savent qu'à l'entrée de la caverne ils devront se battre, à coups de griffes et de hurlements.

Le temps est venu de dormir au fond de la terre, le corps repu de viande et d'herbes grasses. Chacun veut pénétrer en maître dans la grotte. Pour cela, il faut repousser l'autre, le chasser.

Ils arrivent maintenant sous le porche rocheux, haut et voûté. Se dressent sur les pattes arrière, face à face, gigantesques, menaçants. Tout le vallon retentit de leur colère.

Ils en sont encore à se balancer, prêts à se déchirer, lorsqu'une pierre vole et frappe le plus gros des deux. Celui-ci se retourne vers l'ennemi invisible, aperçoit plusieurs créatures armées d'épieux, qui elles aussi crient et rugissent de colère.

Les chasseurs sont nombreux. Ils savent comment affronter les ours. Les pointes de bois durcies au feu touchent les ventres, les poitrines, les dos énormes.

O-Yon, le premier, hurle le chant de la victoire. Une voix de femme s'élève, aiguë, insupportable. Petite femme brune qui court vers la caverne, le visage crispé par le chagrin.

« Killik ! Mon fils... Killik ! Où es-tu ? »

Elle voit le feu éteint, les dessins sur la paroi. Il règne un grand silence depuis la mort des ours. Les hommes se sont tus.

Li-Ama tourne sur elle-même, les bras un peu écartés. Ensuite, d'un pas ferme, elle marche sur Ordos. Lui crie :

« Si mon fils est mort, Ordos ! Je t'arrache le cœur et je le mange ! »

Quelqu'un s'avance. Étrange personnage aux épaules couvertes d'une peau de lion, la poitrine ornée d'un collier de dents. En s'approchant de Li-Ama, prêt à la consoler, il voit le bison qui galope sur la paroi rocheuse, le lion aux yeux attentifs, le cheval au ventre lourd, à la petite tête noire. Pétrifié de surprise, l'homme ne bouge plus. Oubliant la mère en larmes, il regarde, regarde... Enfin il demande tout bas :

« Li-Ama ! Est-ce ton fils qui a fait ça ?

— Oui !

— Alors il ne peut pas être mort ! Ce serait un malheur pour nous... »

Un bruit d'ailes les surprend. Cro passe au-dessus d'eux et s'éloigne en croassant. Li-Ama se met à trembler. Les corbeaux mangent les cadavres. Qui ne le sait pas ? Elle avance doucement vers le fond de la caverne, les mains jointes sur sa poitrine. Les autres la suivent.

Seul Ordos reste près des ours abattus. Il va peut-être les rejoindre, devenir lui aussi une de ces formes inertes jetées au sol. La peur le prend. Il n'a jamais eu aussi peur. La mort de Killik entraînera sa mort à lui. Il le sait.

Li-Ama avance d'un pas tremblant. Soudain elle aperçoit une petite main qui pend d'un replat du rocher. Son cœur lui fait mal. Elle s'approche encore, pleine d'espoir et de terreur. Chuchote :

« Killik ! Killik ! »

Aucune réponse, mais lorsque Li-Ama touche la main de son fils, elle sent la vie qui palpite sous la peau trop chaude.

« Mon fils ! Mon fils ! Il est vivant... »

7

Les chamans

La caverne est tout illuminée. Elle retentit de bruits de voix et du grattement monotone des racloirs sur les peaux d'ours. La chair des deux bêtes a été découpée et rangée par quartiers. Un énorme morceau de viande grille sur les braises.

O-Yon surveille la cuisson, mais son regard va sans cesse jusqu'à la couche où repose son fils. Li-Ama ne quitte pas Killik. Quatre chamans, ces hommes qui connaissent la magie des plantes, se sont penchés sur l'enfant malade. Ils l'ont fait boire, ils ont baigné son corps dans l'eau du ruisseau. Le poison des racines amères a perdu la bataille. Un chaman seul est assez puissant pour repousser la mort, quatre chamans réunis se moquent des mauvais sommeils et des paupières closes.

Killik respire tranquillement. Peu à peu il entend cette musique presque oubliée, celle du clan rassemblé. Une voix coule sur lui, toute proche et très douce. Il sourit, encore perdu dans ses rêves tristes. Puis un mot gonfle son cœur :

« Mamme ! Mamme, tu es là ?

— Oui, je suis là, Killik ! Là, avec toi... Tu es vivant, je tiens ta main... O-Yon ! Vite... Viens ! Killik s'est réveillé. Il m'a reconnue ! »

Reconnue... oui, et sentie. Mamme si précieuse. À l'écouter, à savourer la pression de ses doigts autour des siens, Killik retrouve le chemin de la vie. Il accepte la course plus rapide du sang dans ses veines, ce mouvement de son corps pour bouger à nouveau.

Bientôt tous les chasseurs se regroupent autour de Killik. On discute, on éclate de rire, on s'émerveille de le voir ouvrir de grands yeux étonnés. O-Yon se tient un peu à l'écart, les bras croisés sur la poitrine. La fierté se lit sur son visage. Il est le père d'un enfant capable de passer seul la saison chaude, de tracer sur la roche des animaux. Un enfant qui, sans le vouloir peut-être, vient de donner au clan de la bonne viande d'ours.

Li-Ama s'est allongée près de Killik. Joue contre joue, cheveux mêlés à ses cheveux, une main posée sur l'enfant bien-aimé. La nuit passera ainsi, bercée par les marmonnements des chamans qui, eux, ont à veiller, et parfumée par les relents de graisse brûlée, de braises encore chaudes...

*
* *

Quand la lumière de l'aube envahit l'entrée de la caverne, Killik se réveille vraiment. Il a faim. Contre lui, la chaleur de sa mère. À moitié surpris, il se tourne vers elle, caresse le bout de son nez.

« Mamme ? »

Li-Ama sursaute, pousse un petit cri de bonheur et attire son fils au creux de son épaule. D'abord le silence câlin, la joie de se retrouver tous les deux. Ensuite des chuchotements qui racontent :

« Mamme, que s'est-il passé... dis-moi !

— J'ai senti le vent de l'hiver. J'étais sûre que tu étais vivant. Le clan se taisait, lui. Personne n'osait parler de toi. Un matin, une grande colère m'est venue. Les neiges te tueraient, je le savais. Je suis montée dans le repaire d'Ordos, seule, avec à la main un bon épieu. Il était assis devant son feu. En me voyant, il s'est levé, menaçant. Je ne lui ai pas laissé le temps de bouger. J'ai pointé l'épieu sur sa poitrine, à la place du cœur. Je lui ai dit : "Où est mon fils ?" »

Killik sourit. Il imagine sa mère, l'arme à la main, la face rouge de rage.

« Oui, j'ai fait ça ! Et il avait peur. Je n'étais jamais montée chez lui. J'ai vu des drôles de traits sur le rocher, ça ne ressemblait à rien... Peut-être un bison dans la brume, et encore ! Il a voulu faire comme toi, tracer des animaux, mais ses doigts à lui ne savent pas. Je me suis moquée, j'ai appuyé un peu plus fort l'épieu. Ordos est maigre, sa peau n'aurait pas résisté longtemps. J'ai crié : "Si tu ne vas pas chercher Killik avant le grand froid, je te tue ! Et si tu crois que mon fils est un danger pour le clan, allons demander conseil aux autres chamans, ceux de la pierre aux lions, ceux de la vallée boueuse..." »

Killik hoche la tête, stupéfait par le courage de sa mère. Il demande tout bas :

« Et Ordos a accepté ?

— Bien sûr, il n'avait pas le choix. Mon épieu piquait bien, et je te voulais. Les chamans des clans voisins nous ont suivis. À chacun d'eux, j'ai raconté ce que tu faisais, les animaux sur la roche. Ils voulaient tous voir ça ! Nous marchons depuis des jours. Oh, Killik, j'ai eu si peur en trouvant la caverne vide ! En voyant ce corbeau s'envoler !

— Cro ! C'était Cro ? Vous ne l'avez pas chassé, au moins ? C'est mon ami. »

Li-Ama fait non de la tête. Elle retient son souffle. Killik a osé donner un nom à un oiseau, à un mangeur de charogne. Elle ne comprend pas, mais oublie vite, en tenant longtemps son enfant contre sa poitrine. Enfant qui soudain se redresse et la regarde.

« Mamme ! Il faut conduire les chamans au fond de

la grotte. L'esprit de l'ours y habite. Et puis... tu verras ce que j'ai fait. Ordos aussi doit voir. »

*
* *

Ordos n'a pas dit un mot depuis le réveil de Killik. Être vivant lui suffit. Il croit que rien d'autre n'est important. Il va dans la pénombre, se guidant sur les clartés mouvantes, loin devant lui. Il suit les autres, sans curiosité ni impatience.

Les quatre chamans ont des visages plus radieux. Ils lancent des regards brillants vers le rocher d'où l'eau perle, savourent la souplesse du sol sous leurs pieds. Ils se posent des questions :

Qu'a voulu dire Killik en parlant de l'« esprit de l'ours » ? Pourquoi les a-t-il obligés à ce voyage sous la terre, à peine réveillés d'une nuit passée à digérer une viande grasse et dure ?

Étrange enfant aux lèvres moqueuses qui raconte des choses encore plus étranges... Sur les loups peureux, sur les corbeaux aux yeux pleins d'amour. Enfant pétri d'une magie qu'ils ignorent. Killik. Fils d'O-Yon et de Li-Ama, du Clan des Bisons.

Une voix se glisse parmi les chuintements de l'eau que l'on entend sans cesse alentour :

« Où allons-nous comme ça ? Dis-nous un peu, Killik... Où se cache l'esprit de l'ours ? »

Killik répond avec un petit rire :

« Il faut continuer un peu ! »

Li-Ama chuchote :

« Tu es allé si loin ? Tout seul... ?

— Oui, mamme, aussi loin... Mais je n'avais pas l'impression d'être tout seul. »

Li-Ama ne répond pas. Killik dit des mots tellement étonnants. Une exclamation des chamans lui parvient. Li-Ama, le cœur serré, se précipite. Tout a changé, la galerie s'est élargie en s'ouvrant sur une immense salle. Le groupe s'étire, s'aligne, les silhouettes se placent les unes à côté des autres, dans un grand silence maintenant.

Tous regardent le bloc de pierre et le crâne d'ours posé dessus. La lumière des torches est assez forte pour monter jusqu'à la voûte bosselée. Quelques murmures circulent, respectueux, émus.

Ils reconnaissent le signe, comme Killik l'a fait. Des hommes sont venus là on ne sait quand, ils ont peut-être chanté et dansé autour de ce totem aux orbites vides.

L'esprit de l'ours est puissant. Son souffle frais, au parfum de glaise et d'eau, a de quoi pétrifier les plus courageux. L'esprit rôde, volette, les caresse et les charme.

C'est sans doute lui, bien sûr, qui les oblige à tourner la tête, à voir, sur la haute paroi rocheuse, ces lignes rouges ou noires... Tous ces animaux... Des bisons, des lions, des chevaux, des ours...

Les couleurs sont douces, les lignes nettes, et

chaque bête paraît vivante, occupée à galoper, à rugir, à fuir ou à se battre.

Les quatre chamans restent immobiles, bouche bée, comme les chasseurs, comme O-Yon et Li-Ama, comme Ordos frappé d'une douleur inconnue. Ils ne sont plus qu'un seul regard extasié.

Là, le corps pesant de ce bison gigantesque, à l'œil vif, ébranle sûrement le sol de la prairie. Ces trois chevaux à la crinière noire — non, ce sont des juments —, ces trois juments galopent au vent de la plaine. Elles doivent fuir l'homme ou le lion. Si c'était ce lion, gueule ouverte, au front plat... ? Et les ours, tracés à l'ocre rouge, où vont-ils, le nez en l'air ?

O-Yon sent Killik trembler sur son dos. C'est un frisson lent, différent de celui de la fièvre. Killik, déjà menu, amaigri par sa vie solitaire, ne pèse pas lourd. Cependant O-Yon a soudain l'impression d'avoir une charge terrible à ôter de ses épaules. Son fils n'a pas pu tracer d'aussi beaux animaux... Il ne peut pas y croire.

D'un geste, il le fait glisser à ses côtés, aussitôt l'examine des pieds à la tête. Il lui prend les mains, les retourne, les palpe, puis les laisse retomber dans le vide, car il a besoin de ses propres mains pour s'essuyer les joues. O-Yon pleure. Li-Ama suffoque de joie. Elle ne doutait pas, elle. Son cœur le savait.

Les autres continuent à regarder. Ils reconnaissent une hyène et, dans un recoin, un oiseau noir. L'oiseau vole, ailes déployées, tout petit comparé aux bisons et aux juments.

Killik regarde lui aussi. Il a jeté un œil sur ses animaux, qu'il n'avait pas vus depuis des jours, puis il a préféré observer les visages au-dessus de lui. Ceux qu'il connaît, son père, sa mère, Ordos, les trois chasseurs de son clan... et surtout les autres, comme ces quatre chamans entourés d'étrangers.

Les chamans sont venus pour lui, pour le juger. À présent ils sont figés, avec sur la figure une expression de joie totale. Le plus vieux s'avance enfin vers les formes tracées sur le roc, en poussant de petits cris de satisfaction. Sa voix s'élève, elle résonne sous la terre et s'impose à chaque oreille :

« Ce que fait cet enfant est la plus belle chose que j'aie vue ! C'est la première fois que je vois une telle chose ! Je dis que Killik doit continuer... Sa magie est puissante. L'esprit de l'ours, qui vit ici, peut se réjouir. »

Une rumeur monte, monte, qui répète les mots du vieillard. Cela devient une chanson violente, enthousiaste :

« Killik doit continuer... C'est vrai... Killik est plein de magie et de puissance... L'esprit de l'ours est entré en lui ! Killik doit continuer ! »

Un autre chaman s'écrie en agitant les bras :

« Grâce à Killik, nous avons tué deux ours ! C'est l'esprit de l'ours qui a permis cette chasse. Alors, je me dis que les esprits des animaux de Killik, qui vont vivre là, au fond de la terre, nous laisseront chasser leurs frères, dans la plaine ou les vallons. Les chasses seront bonnes, je le sais. »

Ces paroles font naître une folle clameur qui se perd jusqu'au bout des galeries inexplorées. Les hommes dansent sur place, en riant. Seule femme parmi ces silhouettes robustes, Li-Ama se balance doucement, transportée de fierté.

Killik a un petit sourire fatigué. Bien sûr, lui aussi, il a cru être protégé par l'esprit de l'ours, mais c'était un moyen de vaincre la peur, de jouer le chasseur fort et courageux. Il n'a pas oublié les longues journées de solitude, de chagrin. S'il n'avait pas tracé tous ces animaux sur la paroi, dans cette immense salle, cette solitude et ce chagrin auraient mangé son cœur.

Il baisse la tête. Les chamans sont fous, comme Ordos qui tourne autour de lui en marmonnant des mots gentils, des compliments bizarres.

Une voix le caresse. C'est Mamme :

« Viens, mon fils ! Retournons dans la caverne, pour profiter encore du soleil... Tu dois reprendre des forces. Bientôt nous partirons vers notre abri. Awuna doit être triste sans nous. »

« Awuna » et l'« abri ». Killik va retourner là-bas. Le grand froid va venir, les enfermer tous ensemble et ce sera pour Killik des mois de bonheur. Il va appeler Cro, lui parler, lui apprendre à ne pas craindre tous ces hommes rassemblés. Cro le suivra. Awuna sera contente.

On n'appellera plus Killik « le boiteux », mais « l'enfant au corbeau ».

*
* *

Killik est guéri. Il se sent capable de marcher des jours et des jours. Cro est posé sur son épaule. Le corbeau s'est habitué au voisinage bruyant des autres hommes. Il accepte leurs gestes brusques, leurs voix fortes. Pourtant, pour une main qui s'avance, pour un cri trop aigu, il s'envole, va tourner au-dessus du ruisseau et ne revient qu'une fois rassuré. Revient vers Killik uniquement. Son ami.

C'est enfin le départ. Les chasseurs, les chamans, Li-Ama et son fils quittent le vallon. Sous leurs pieds, les cailloux, la terre sèche, des brindilles et quelques rares feuilles. Les falaises autour d'eux sont grises, gigantesques.

Killik dévore des yeux toutes ces images nouvelles. Il n'avait jamais osé s'éloigner autant de la caverne. Soudain, Cro, qui se laissait balancer au rythme de la marche, perché sur l'épaule de l'enfant, pousse un cri bref.

Le corbeau bat des ailes, s'envole, prend de la hauteur. Le vent semble le porter, jouer avec lui. Il monte,

monte, va et vient, tout en suivant les hommes au pas pesant.

Ainsi jusqu'à la nuit, et chaque jour, tout au long du chemin. Ainsi jusqu'au soir où Awuna s'élance en criant de joie vers Li-Ama, O-Yon et Killik.

SECONDE PARTIE

1

Le magicien

Ils attendaient depuis un long moment, impatients et heureux. Les enfants sont au premier rang, leurs parents se pressent contre leur dos. Là, devant eux, il y a Killik. Le magicien. Il attend, grand, fin, les cheveux attachés sur la nuque, du poil noir, frisé et dru, au menton.

Derrière Killik s'étend un vaste pan de roche, bosselé, sur lequel vivent les bêtes de la plaine. On ne les voyait pas, un instant plus tôt, mais le brasier allumé par O-Yon les a fait surgir de la nuit.

C'est si beau ! Personne n'ose parler, ni bouger. Pourtant, une musique s'élève, chocs sourds d'un bout de bois sur une peau tendue, et cette musique semble donner encore plus de charme aux bisons, aux rennes, aux chevaux. Une femme se met à chanter, d'une voix haute. Elle répète les mêmes mots, sur le même ton, et son chant devient un cri de joie. C'est Li-Ama, la mère du magicien.

Killik tient deux coupelles d'argile dans ses mains. Il en pose une à ses pieds, plonge ses doigts dans l'autre. Avec un sourire fiévreux, il s'approche du rocher, l'observe longuement. Un espace vide, à portée de ses doigts, devient l'objet de tous les regards.

Quel animal va prendre place sur la pierre ? Chacun se le demande, à la fois amusé et inquiet. La chasse n'a pas été bonne, la neige fond à peine, la faim creuse les ventres et les joues.

Killik peut les sauver, ils en sont persuadés. Ce qu'il tracera, dans un instant, sera une bonne chose pour tous les clans réunis ce soir.

Il en est ainsi depuis quatre ans. Dès le retour de la saison chaude, les clans voisins du grand abri viennent pour la cérémonie. Killik, lui, passe ses jours à chercher une grotte convenable, à l'entrée discrète, pourvue d'une vaste salle située loin sous la terre.

Il dessine le gibier, puis, quand son travail est fini, il laisse un emplacement pour les animaux qui seront le symbole de la force victorieuse.

Aujourd'hui, que va-t-il faire ? On le sent hésitant, frémissant de mille réflexions. Ses doigts se décident enfin. Un trait, deux traits, une courbe, un point de-ci de-là, le tout avec aisance, rapidité. Un lion. Énorme, rouge et noir, gueule ouverte. Il poursuit trois bisons.

Le silence s'anime, car les souffles s'accélèrent, se transforment en rires timides avant l'explosion de cris stridents. La voix de Li-Ama est avalée par ce vacarme. La musique s'arrête.

Les enfants émerveillés contemplent le lion. Ils ont un peu peur, mais le plaisir d'être là, dans ce lieu sacré, les grise, les bouleverse. Assise parmi eux, Awuna est la plus excitée. Elle frappe des mains en chantonnant le nom de son frère :

« Killik ! Killik ! »

Awuna aux nattes brunes, déjà grande pour ses six ans. Elle pépie comme un oiseau, fière d'appartenir à la famille du magicien.

La cérémonie est presque terminée. Les chamans se lèvent et viennent apporter leurs présents à Killik : des silex de qualité, au tranchant net, des colliers de coquillages, des herbes riches d'une sève guérisseuse.

Quand ce rite est terminé, Li-Ama s'approche à son tour, accompagnée de trois jeunes filles.

Elles ont fait le voyage pleines d'espoir ; chacune appartient à un des clans présents ce soir. Elles sourient, espérant être choisies comme compagne de Killik, le grand magicien. Lui, bien embarrassé, les regarde gentiment, mais aucune des trois filles ne fait battre son cœur.

Il s'incline, le visage grave, et s'éloigne pour ramasser ses coupelles de couleur.

Li-Ama est furieuse. À la dernière cérémonie, Killik

a agi de la même manière. Les chamans sont mécontents. Elle les voit soupirer et discuter à voix basse.

Après avoir lentement marché le long des galeries de la grotte, les quatre clans réunis regagnent le vallon où se trouve le grand abri. Ils sont plus d'une centaine à suivre le sentier, dans la douceur de la nuit d'été. La lune se cache à demi derrière un nuage, les moustiques vont et viennent autour d'eux, mais il fait bon aller ainsi vers un repas de viande parfumée, assis près du feu.

Ordos avance aux côtés de Killik. Il lui pose sans cesse des questions... sur la chasse, sur les couleurs, sur la saison froide qui revient toujours trop vite.

Amusé, le magicien de quinze ans murmure des réponses tirées de son imagination. Magicien, il ne l'est que pour les autres. Il a accepté ce nom, et tous les avantages qu'il lui apporte, mais cela s'arrête là.

Depuis quatre ans, Killik peut dessiner toute la journée, c'est la seule chose qui compte pour lui.

Sa mère le rejoint vite. Il s'en doutait. Elle s'agenouille dans l'herbe et, d'un geste vif, lui tire une mèche de cheveux.

« Méchant fils ! Pourquoi es-tu si têtu ? Ces filles étaient gentilles, en âge de te donner des enfants !

— Mamme... Je suis très bien tout seul. Je n'ai pas envie de prendre une compagne. Pas encore ! »

Li-Ama pince les lèvres. Secoue la tête. Jamais elle

ne comprendra son fils. Partagée entre son amour et sa colère, elle dit d'un ton agacé :

« Killik ! Tu dois le faire. Depuis longtemps tu vis ici, tranquille. Tu n'as pas à chasser, ni à tanner les peaux. Tu n'as pas à tailler les silex. Awuna et moi, nous te ramenons toutes les écorces de bouleau que tu désires et tu peux tracer des animaux du matin au soir. Ordos te respecte. Tous les clans de la vallée te respectent. Ton père t'offre les meilleurs morceaux de gibier, et moi, ta pauvre mamme, je les fais griller pour toi. Tu pourrais nous faire plaisir, choisir une fille qui m'aiderait, qui dormirait avec toi... »

La voix de Li-Ama s'est adoucie. Elle berce et caresse maintenant. Killik sourit, prêt à éclater de rire. Son regard noir part en promenade parmi la foule rassemblée sur le bout de prairie bordant la rivière.

Il observe les faces tannées, les chevelures de diverses teintes, les mouvements des femmes. Soudain Belti se lève, le ventre rond. Ano lui a demandé à boire ; elle se hâte vers la berge pour y puiser, dans un récipient de feuilles tressées, de l'eau fraîche.

Killik dit à sa mère :

« Ano a pris Belti pour compagne. Elle attend un enfant. Elle est fatiguée, et lui, ce grand chasseur, il ne craint pas de la faire travailler. Cela ne me plaît pas. Je préfère être seul et aller chercher mon eau moi-même. Je ne t'ai jamais demandé de faire griller ma viande. Tu t'occupes de moi comme si j'étais encore un bébé. Alors, je pense être trop jeune pour prendre une femme ! »

Killik éclate de rire cette fois. Awuna se jette sur lui, l'enlace de ses bras menus. Ils se chatouillent en criant de joie. Li-Ama, boudeuse, s'en va.

*
* *

Ce matin-là, Cro revient se poser sur l'épaule de Killik. Le corbeau avait disparu depuis des jours. Il est libre, mais il n'oublie pas l'amitié qui l'attache au garçon. S'ils vivent chacun de leur côté, cela ne les empêche pas de se retrouver souvent.

Killik, content du retour de l'oiseau, abandonne son travail. Il caresse la petite tête noire, lisse les plumes des ailes. Un dialogue étrange commence, fait de sons modulés et de chuchotis.

Cro a contribué à faire de Killik le magicien de la vallée. Pourtant ce n'est qu'une histoire toute simple, faite d'échanges de tendresse, d'attentions l'un pour l'autre.

Dans le calme de la gorge étroite où Killik est venu ramasser de l'ocre, un petit vent tiède circule. Fleurs, feuillages exhalent des parfums mielleux. Un ruisseau chuchote.

Cro et Killik sont heureux. Le corbeau ne bouge plus, le garçon s'est assis sur une pierre. Ils savourent ce moment d'isolement et de complicité, semblables à ceux qu'ils ont connus des années auparavant.

Brusquement, tout bascule. Killik est aveuglé par une peau de bête malodorante, Cro s'envole en croassant furieusement. Des mains dures et brutales s'emparent de Killik, le ligotent, le traînent au sol. Il se débat, crie de colère, mais rien n'y fait. Plusieurs hommes sont là. Ils sont silencieux, mais violents. Bientôt, Killik ne pourra plus bouger un doigt. Il se cambre, donne des coups de pied, pousse des hurlements.

Quelque part, Cro lui répond. C'est le dernier bruit qu'entend le jeune magicien. Un coup ébranle son crâne. Assommé, il sombre dans une nuit pleine de menaces.

2

Le Clan des Curieux

Killik se réveille sous un abri rond, fait de peaux tendues sur des perches. Ses mains sont attachées à un piquet, dans son dos. La lumière est faible, le soleil doit se coucher. Il murmure, surpris :

« Je ne comprends pas ! »

Sa tête lui fait mal, il a faim et soif. Pas encore peur, puisqu'il est vivant. Peu à peu, il perçoit des bruits de voix, des bruits de pas, les sons habituels d'un clan. Killik attend, certain d'avoir bientôt de la visite. On doit l'épier, par une fente dans les peaux. Il ne se trompe pas. Un homme entre sous l'abri, suivi de trois vieillards chauves. Il les regarde, ne sachant pas s'il faut sourire ou montrer un visage fâché. Sa vie peut se jouer sur un détail. L'homme parle le premier :

« Alors, c'est toi Killik le magicien ? »

À part des intonations différentes, le langage est presque le même que celui de son clan. Killik se rassure. Au moins, on pourra s'expliquer... Il répond d'un ton aimable :

« Oui, c'est moi ! Si tu voulais me connaître, tu pouvais le faire sans m'éclater la tête, en venant sous le grand abri des miens.

— Peut-être, mais nous aurais-tu suivis ? Nous avons besoin de toi ici ! Des troqueurs sont passés au début de la belle saison, pour échanger des coquillages bleus contre de la bonne viande. Ils ont parlé d'un magicien qui trace des animaux énormes sur la roche. Ils ont dit que, dans ta vallée, la chasse était facile, grâce à toi. Nous aussi, nous voulons des animaux, encore plus beaux, plus grands ! Mon clan a faim, il se nourrit surtout d'escargots, d'oiseaux et de poissons. Tu dois nous aider ! Fais venir dans cette plaine le gros gibier au sang épais ! Voilà ce que je te demande. »

Killik soupire. Toujours la même chose ! Lui qui ne croit pas vraiment aux vertus magiques de ses dessins...

« Ce n'était pas la peine de m'enlever, de me frapper ! Je n'aime pas ça. Je suis libre et respecté par tous les clans. Détachez-moi ! J'ai faim ! »

L'homme hésite. Les vieillards se frottent les mains, l'air soucieux. Ce jeune étranger au regard noir leur semble dangereux. L'un d'eux marmonne :

« Ne le détache pas ! Il va s'enfuir ou nous tuer avec son œil plein de méchanceté. Nous avions envie de voir sa magie, mais mieux vaut le tuer. Il n'apportera rien de bon chez nous. Le tuer et lui couper les mains. Son pouvoir est dans ses doigts, nous le savons ! »

La peur envahit Killik. Mourir comme ça, aussi bêtement, le révolte. Il lève la tête, offre une figure très douce aux quatre inconnus, sa figure d'enfant heureux. D'une voix caressante, celle que connaissent bien Cro et Awuna, il dit en appuyant sur chaque mot :

« Je veux bien tracer des animaux pour vous. Mais je ne pourrai pas le faire si vous me tuez, encore moins si vous me coupez les mains. Ma magie est une toute petite magie. Vous n'avez rien à craindre. Donnez-moi à manger et à boire, ensuite je me mettrai au travail ! »

Le sourire de Killik est si lumineux qu'il chasse doutes et terreurs. L'homme coupe ses liens, l'aide à se relever.

« Viens avec moi, Killik ! »

Dehors, Killik découvre six autres tentes faites de la même façon. Des feux sont allumés. Des silhouettes vont et viennent autour des foyers, des hommes, des femmes et des enfants.

Le paysage l'étonne. Une plaine immense d'un côté, avec des creux et des bosses, mais aride, semée de buissons d'épineux et de rochers, plaine qui bute contre une haute falaise grise. Cette masse de pierre s'éloigne en ondulant, on la devine percée de grottes, de failles, malgré la végétation qui s'est accrochée au roc.

Le ciel, d'un bleu intense, révèle déjà des étoiles et un croissant de lune. Killik devine que ce lieu est très éloigné du grand abri, que ses ravisseurs ont dû marcher toute la journée pour arriver là, en prenant soin de l'assommer une seconde fois, pour plus de sécurité.

L'homme le pousse vers un des feux.

« Tu vas partager mon repas. La pêche a été bonne. Ma fille a préparé les saumons. Elle les a garnis d'herbes odorantes et de baies noires. »

Killik approuve d'un signe de tête affamé. Il s'assied par terre, impatient de manger. Il ne quitte pas des yeux les poissons, même quand on lui tend un récipient rempli d'eau. Il boit, pousse un petit cri de plaisir et retourne à sa contemplation. Il adore la chair rose des saumons. Il réfléchira plus tard, le ventre plein, à tout ce qui vient de se passer. Pourtant, il prend le temps de baptiser tous ces gens « le Clan des Curieux ». Curieux, il faut l'être pour enlever quelqu'un avec autant de ruse. Ses parents doivent être très inquiets. Le chercher. L'appeler. Imaginer des choses terribles... Un lion qui l'aura emporté et dévoré. Une chute au fond d'une grotte, dans un de ces gouffres qui parfois s'ouvrent au détour d'une galerie.

O-Yon doit rugir de colère et de chagrin. Combien de fois a-t-il conseillé à Killik de ne pas s'éloigner seul et sans épieu... De toute façon, un épieu ne lui aurait pas servi, pour la bonne raison que Killik n'a jamais appris à chasser ni à se défendre. Tout le clan le protégeait, lui évitait les corvées et les tâches coutumières.

« Et voilà ! se dit Killik. Je me retrouve je ne sais où, prisonnier de tous ces curieux. Des idiots qui me prennent pour un grand magicien. »

Agacé, il prend le poisson qu'on lui présente sur une feuille de bardane, large et tiède. S'apprête à mordre dedans. Une voix, atténuée par la distance, vient frôler son cœur :

« Ne te brûle pas, même si tu as très faim. Je n'ai pas de pouvoir, moi, je ne peux pas refroidir le poisson d'un regard ! »

Killik, amusé, relève la tête. Il cherche qui a parlé. Une fille se tient de l'autre côté du feu, à plusieurs pas de là. Elle est petite, vêtue d'une longue tunique brodée de coquillages roses. Visage étroit, menton pointu, nez fin, elle le fixe sans sourire, mais ses yeux ont la transparence verte des rivières. Sur ses cheveux aussi bruns que ceux de Killik, elle porte une coiffure bizarre, faite de petits coquillages enfilés sur un filet. L'homme pousse un gloussement heureux pour dire entre deux bouchées :

« C'est Lounne, ma fille ! La seule enfant qui me reste. Sa mère et mes deux fils sont morts... Il y a longtemps, à la fin d'un hiver. Une maladie. Ils toussaient beaucoup, crachaient du sang. Lounne a résisté. »

Killik ne répond pas. Il observe la fille qui s'en va vers une des tentes. Elle marche vite. Le soleil couchant joue sur les coquillages de sa tunique. Manger, il faut manger pour oublier le regard clair de Lounne et la beauté de son visage. Le saumon est bon, fondant, gras.

Le repas terminé, il fait nuit. L'homme éclate de rire.

« Alors, magicien, vas-tu tracer des animaux à la lumière de la lune ? Je peux aussi allumer des torches. Personne n'ose t'approcher, mais si je leur fais signe, ils vont se précipiter et t'emmener de force au pied de la falaise. Le rocher est lisse ! Nous sommes pressés de voir ta magie... »

Killik n'éprouve aucune fatigue. Il n'a plus faim, ni soif. Pourquoi ne pas leur faire plaisir tout de suite ? Lounne viendra sûrement. Il a soudain envie de l'éblouir, de lui montrer ce qu'il sait faire.

« J'ai besoin de torches, de beaucoup de torches ! De tisons aussi, et d'ocre bien rouge. Je te préviens, inconnu, la nuit sera longue. Tu l'auras voulu », déclare-t-il.

L'homme, face réjouie, s'écrie :

« Tu auras tout ! Je n'ai pas envie de dormir. Je suis trop curieux de te voir tracer des animaux ! Je me nomme Dako. Tu as bien entendu : Dako, pas "inconnu" ! »

Ils rient tous les deux, heureux, et Killik ajoute d'un ton malicieux :

« Dako, du Clan des Curieux, je suis content d'être venu ici, même si ma bosse me fait encore mal. »

Dako s'étouffe de rire maintenant. Cela ne

l'empêche pas de lever un bras, le signe attendu sans doute, puisque aussitôt accourent hommes, femmes et enfants. Et Lounne...

*
* *

Killik se retrouve face à un pan de rocher, situation qu'il connaît bien. D'un regard attentif, il étudie les plats et les creux, chaque particularité du relief. Derrière lui le Clan des Curieux s'est assis, en formant une seule masse impatiente. On chuchote, on pouffe de rire, on retient des soupirs émus.

Lounne s'est installée le plus loin possible des siens. Elle veut tout voir, tout comprendre. Cet étranger est-il vraiment un magicien ? Elle ne voit qu'un garçon de son âge, au visage agréable, au corps mince. Ce qu'elle préfère ? Le sourire de Killik, chaud comme le soleil, qui ouvre sa bouche aux dents blanches. Elle épie tous ses gestes.

Killik se sent guetté, détaillé. Cela vient d'une seule personne. Il se retourne un instant, croise le regard de Lounne. Elle baisse vite la tête.

Pour la première fois, les mains du magicien tremblent légèrement. Depuis quatre ans, il a dessiné mille fois, il a même sculpté dans l'ivoire des profils de chevaux, de bisons. Ses doigts n'ont jamais hésité, ils ont répondu aux images que son esprit capturait sans cesse et qu'il devait faire revivre. On s'est battu pour ses propulseurs ornés de bêtes aux formes parfaites, on l'a supplié de troquer une écorce de bouleau, où galopait un renne, contre un quartier de viande qui a nourri la moitié du clan.

Cette nuit, Killik a peur. Il voudrait offrir le plus beau des dessins à tous ces curieux, surtout à la fille aux yeux verts, mais ses mains lui paraissent malades, froides. Pour reprendre courage, il s'en va sur les chemins de son passé, à l'époque où il vivait seul avec Cro, dans la caverne immense hantée par l'esprit de l'ours. Oui, c'est ça, il doit se croire seul. Chasser les murmures et les crépitements des torches. Il n'y a plus que la roche. Elle attend, lisse, douce au toucher, complice. Cette aspérité, là, cache sûrement le dos d'un bison, et ce petit trou abrite son œil affolé.

Les doigts de Killik se raniment, ils plongent dans la terre rouge, dans la crème noire obtenue en broyant du charbon de bois. Les voici d'un côté, puis de l'autre... Ils tracent, effleurent, restent en l'air le temps d'un soupir, se reposent sur la pierre, étalent les couleurs, ajoutent quelques crins, accentuent un sabot...

C'est fini. Le bison est là, surgi de la nuit, énorme, palpitant d'une vie magique. Des torches se lèvent, pour mieux l'éclairer. Killik recule un peu, examine longuement l'animal. Son cœur se serre. Le bonheur lui fait mal. Jamais il n'a fait un bison aussi beau. Les lignes pures, la vivacité des teintes le fascinent.

Derrière lui, le silence. Tous contemplent, émerveillés. Ainsi, c'était vrai, il existe un homme capable de faire de telles choses. Ils l'ont battu, menacé de mort. Un si grand magicien !

Dako se lève. Il marche vers le bison. S'agenouille et commence un chant de remerciement. Les autres l'imitent, en pleurant, en riant. Un mot monte aux lèvres du Clan des Curieux :

« Encore ! Encore ! »

Killik accepte. Dako retourne parmi les siens. Leur ordonne de se taire. Le silence des hommes est nécessaire à la magie. Peu importent la nuit, le vent plus frais, le cri d'une chouette. Ils voient apparaître sur le rocher d'abord un lion rouge qui rugit, puis une jument lancée au galop, enfin un loup au regard affamé.

Le jour se lève. Épuisé, Killik laisse retomber ses bras le long du corps. Il n'a plus de couleurs, ni noir ni ocre. Plus de force. Le magicien a envie de dormir, de s'allonger sur la terre, là, sans faire un seul pas vers le camp. Il s'aperçoit à peine d'une présence à ses côtés. Lounne a franchi l'espace qui les séparait. Elle voulait le voir de près, le toucher, lui parler. Alors, elle observe chaque détail de son visage, en posant une main sur son épaule. Tout bas, elle lui dit :

« Je t'ai tellement regardé, cette nuit, que je n'oublierai rien. J'ai vu apparaître le bison, le lion, le cheval... le loup... Tu es un vrai magicien, le plus grand des chamans ! Je n'ai jamais connu la joie, avant. Tu es bon, Killik, très bon de nous avoir fait ce cadeau. »

Lounne n'attend pas la réponse. Elle court vers les

tentes, disparaît. Killik se couche à même le sol, sur le sable dur. Il s'endort aussitôt, sous le regard ébahi du Clan des Curieux qui n'ose pas s'éloigner de ce pan de falaise, maintenant orné de figures magiques.

3

Lounne

Les jours passent. Killik se plaît dans le Clan des Curieux. On lui apporte des présents chaque matin, des poissons, des coquillages multicolores, des baies triées avec soin.

Dako est devenu son ami. Pendant les repas, ils discutent tranquillement. Ce soir, assis près du feu, Killik prend son rôle de magicien au sérieux. Tout en se chauffant la plante des pieds, il déclare d'un ton grave :

« Dako, votre clan a choisi une mauvaise région pour la chasse. Le gibier ne viendra pas ici. Il n'y a pas assez d'herbes et trop de cailloux. Tu as vu cette barre blanche au nord, ce sont les glaciers. Je ne les avais jamais vus, mais mon père m'en a souvent parlé. Pendant l'hiver, vous devez avoir très froid, bien plus froid que mon clan. Nous sommes protégés par les montagnes. Le gibier va où pousse l'herbe, l'homme doit faire la même chose. »

Dako hoche la tête.

« C'est vrai, tu as raison, le grand froid nous frappe durement. La mort rôde autour du camp dès que la neige tombe. Pourtant nous bougeons, Killik, nous avons établi nos tentes d'un bout à l'autre de cette plaine. Les antilopes saïgas y viennent... Ce sont leurs peaux que tu vois sur les perches et sur nous. Elles nous donnent leur chair, leurs os ! »

Killik va répondre, mais Lounne traverse l'espace libre entre deux foyers. Elle porte un bébé sur la hanche. Le magicien en perd la parole. Dako sourit dans sa barbe.

« Ma fille s'occupe de tous les nourrissons du camp. Elle est douce avec eux.

— Lounne travaille sans cesse. Elle plairait à ma mère. »

Killik se mord les lèvres. Ce simple mot de *mère* l'a bouleversé. Li-Ama, sa mamme... et Awuna. Soudain elles lui manquent toutes les deux. Il s'en veut de ne pas être parti les rejoindre plus tôt. Dako le voit se redresser et l'entend dire fermement :

« Je dois rentrer près des miens ! Je ferai ce que je t'ai promis, Dako. Ensuite, tu me raccompagneras.

— Bien sûr ! Mais je vois Lounne qui part vers les

falaises chercher de l'eau. Tu devrais lui annoncer ton départ.

— Tu crois ? Maintenant ?

— Oui, je crois bien... »

*
* *

Killik prend un objet sous la tente de Dako, l'enroule dans un morceau de cuir. Puis il marche à grands pas en direction des falaises. Lounne lui semble toute petite, perdue parmi les buissons de genévriers. Deux autres femmes sont avec elle. La source coule en filet, suintant de la roche. Ici, la corvée d'eau demande de la patience.

La jeune fille l'a entendu approcher. Elle se relève, inquiète. Depuis l'arrivée de Killik, le malheur la suit partout. Un magicien comme lui ne peut pas rester longtemps dans un clan. Alors, inutile de se montrer souriante, aimable. Elle l'évite de son mieux, ne le regarde plus. Ce serait bien inutile d'ajouter de nouvelles images de lui à toutes celles qu'elle a enfermées dans son cœur. Pour un rien, Lounne pleure, s'isole, se griffe les bras. Elle ose juste aller admirer les grands animaux tracés sur la pierre grise de la falaise. En cachette, très tôt, quand le soleil pointe, rouge sang.

« Lounne, je voudrais te parler. »

La voix de Killik. Comme un chant de joie, une caresse. Lounne le suit, pâle d'émotion, sous les rires

111

de ses compagnes. Qu'elles sont stupides ! Lounne voudrait les battre de se moquer ainsi, mais Killik marche devant elle, en écartant les branches basses des noisetiers. Elle le suit.

« Viens, Lounne. J'ai quelque chose à te donner. Je voulais te l'offrir en te disant au revoir, mais je n'ai pas pu attendre. »

Ils sont seuls. Assez loin de la source et des moqueuses. Le vent joue dans les rochers au-dessus d'eux. Killik resserre ses doigts autour de l'objet enveloppé de cuir. Comment expliquer à Lounne qu'il n'a pas pu la dessiner, elle si belle ? Il se sentait incapable de reproduire son visage avec de simples traits.

Lounne respire à peine, impatiente. Elle se demande pourquoi Killik l'a conduite à l'écart de tous, pourquoi il semble aussi gêné. Enfin, d'un geste brusque, il lui tend son cadeau.

« Tiens, prends ! C'est pour toi. »

Lounne déplie le carré de peau bien tannée. Là, entre ses doigts, roule une petite tête de femme, sculptée dans l'os. Les cheveux lisses portent la même coiffure qu'elle. Son cœur s'affole, ses mains emprisonnent la figurine.

« Killik ! Comme c'est beau ! Et tu me la donnes ? Vraiment ?

— Oui !... Et c'est beau parce que tu es belle, Lounne. »

Lounne ne connaît pas son propre visage. Les mots

de Killik lui tournent la tête. Est-ce bien elle qu'il a représentée ? Elle regarde mieux. La coiffure, le nez, le front. D'une main, elle se touche la bouche, les joues, les cheveux.

« Tu veux dire que c'est moi ?

— Oui, Lounne. »

Très vite, il ajoute :

« La nuit prochaine, je tracerai des animaux au fond de la grotte que ton père a choisie. Les dessins sur la falaise vont disparaître, à cause de l'eau, de la neige, du froid, du vent. Je veux que ton clan mange à sa faim. Tu verras, je ferai pour vous les plus gros bisons, les plus gros chevaux... J'espère que vous ferez de bonnes chasses, grâce à cela, mais quand j'aurai fait ce que j'avais promis de faire, Dako me ramènera chez les miens. »

Lounne passe de la joie au chagrin. Le présent de Killik est un cadeau qui fait mal. Elle retient ses larmes. Il va partir. Elle le savait bien. Tête basse, elle contemple la petite statue au creux de ses mains. La touche d'un doigt, éprouvant le modelé des formes. Cela lui donne un peu de courage. Juste assez pour murmurer :

« Je serai triste quand tu ne seras plus là. Mon père t'aime beaucoup. Tu le fais rire. Tout le monde t'aime bien. Mais je te comprends, ta famille doit te manquer. »

Lounne pense : « ta compagne aussi doit te manquer », car elle en est sûre depuis le premier instant où Killik est entré dans sa vie, un magicien qui a tant de lumière en lui possède sans aucun doute une compagne. Le désespoir l'envahit.

En la voyant toute tremblante, Killik se décide. Sa voix paraît enrouée lorsqu'il lui répond :

« Si tu es triste de me voir partir, viens avec moi, Lounne. Ma mère n'avait que cette idée, me trouver une femme. Elle sera heureuse de te prendre pour fille. Et moi... si tu ne me suis pas, je crois que je resterai ici, avec toi. »

Les mots de Killik ont chassé le malheur qui pesait sur Lounne. Elle pleure un peu, en riant de fierté. Ses yeux verts, brillants de larmes douces, ne quittent plus ceux de Killik. Il la regarde, si proche, si belle. Son regard va du front au menton, du nez aux joues hautes, teintées de rose. Il connaît bien son visage, sinon il n'aurait jamais pu le faire renaître sous ses doigts. Maintenant il ose le caresser, ce visage bien plus doux que l'ivoire lui-même. Les cheveux surtout, noirs comme les siens, mais si soyeux.

Lounne ne bouge pas. Elle sent la bouche de Killik se poser sur la sienne. Elle ne le quittera pas. Elle sera la compagne du magicien.

*
* *

Killik a dit à Dako qu'il désirait prendre Lounne pour compagne. Qu'il voulait l'emmener dans son clan. Dako a joué les indécis, en se grattant la barbe, mais la fierté le suffoquait. Sa fille serait la femme du magicien, d'un homme rieur et bon !

« Je te la donne. Je serai bien malheureux sans elle, mais tant pis ! Si tu la laisses là, elle se jettera du haut de la falaise. Je la connais. »

Killik a remercié Dako. Ils se préparent à partir. Lounne rassemble ses outils, ses poinçons d'os, sa veste en peau de loup pour la saison froide et son harpon, car elle pêche mieux que beaucoup d'hommes. Le Clan des Curieux se lamente. Tous aimaient Killik et Lounne la belle.

Pourtant le magicien a tenu sa promesse. Ils l'ont vu, au fond de la terre, dessiner bisons et saïgas, chevaux et rennes. Lounne, droite et sereine, se tenait près de lui, présentant les coupelles garnies de couleurs, surveillant les feux de genévrier qui donnent une si vive clarté. Les enfants, peu nombreux, étaient assis près de la paroi rocheuse pour ne rien perdre de la fête. En les regardant, Killik a eu une idée. Pourquoi ne pas demander à chacun d'eux de tracer une silhouette d'animal, en prenant modèle sur celles de la falaise, en plein air... D'autres doigts avaient peut-être le même pouvoir que les siens ?

Le lendemain, il a emmené les six enfants ramasser des pierres plates. Ensuite il les a fait asseoir au pied du pan de rocher, face au bison, au lion, au cheval et au loup. Le plus jeune n'avait jamais vu de bison, un garçon de dix ans avait oublié à quoi ressemblait un cheval.

Killik a broyé l'extrémité de tisons graissés. Il a rempli des coupelles, les a posées près d'eux. Lounne s'est tenue un peu à l'écart. Dako, en bon curieux, a voulu voir ce qui allait se passer.

Killik a parlé, expliqué :

« Regardez mes dessins ! Essayez de les tracer sur vos pierres plates. Regardez bien, surtout, trempez le bout de vos doigts dans le noir, n'ayez pas peur. C'est un jeu ! »

Le jeu les a amusés. Un des enfants, âgé de huit ans, a tendu le premier sa pierre à Killik. Les traits, encore maladroits, redonnaient vie à un petit bison, le dos rond, l'œil vif. Sur les autres pierres plates, rien de bon.

Killik s'est penché sur le petit garçon.

« Il s'appelle Nadume. Crois-tu, Killik, qu'il deviendra lui aussi un magicien ? a demandé Lounne, émue.

— Je ne sais pas, Lounne. Mais le bison me plaît. Plus tard, Nadume pourra tracer des animaux, j'en suis sûr. »

Killik s'est tourné vers Dako.

« Tu n'auras plus besoin d'aller derrière les montagnes enlever les magiciens des autres clans. Nadume a lui aussi un pouvoir dans les doigts. Prends soin de lui. Un jour, si sa famille veut bien, je reviendrai le chercher et je lui apprendrai le secret de mes couleurs. »

Dako, muet de surprise, a répondu d'un signe de tête. Jusqu'au soir, il a observé le petit Nadume, comme s'il le voyait pour la première fois.

*
* *

Dako marche devant Lounne et Killik. Ils suivent un sentier à peine visible entre les pierres plates et les mousses desséchées. Ils ont quitté le camp à l'aube, mais le chemin est long.

Killik observe attentivement le paysage. C'est une habitude de le traîner, aveuglé et attaché, vers des lieux inconnus ! Ordos, puis Dako et ses hommes... Il regarde tout, les rochers, les arbres, les falaises, les ruisseaux, puis il demande à Dako :

« Comment saviez-vous, toi et les autres, que j'étais Killik, et comment m'avez-vous trouvé, là où j'étais ? Mon père lui-même ignorait ce petit vallon. J'y ramasse de l'ocre, le plus rouge de la région... »

Dako ne répond pas tout de suite. Il a un peu honte, car c'est lui qui a tapé sur le crâne de Killik avec une solide massue.

« Nous avons surveillé le grand abri durant deux jours. D'une colline voisine. Tu étais le seul à ne pas travailler, à te livrer à d'étranges occupations. Le matin où tu es parti vers ton vallon, nous t'avons suivi. Le troqueur avait parlé de ton corbeau. Alors, quand l'oiseau s'est posé sur ton épaule, je n'ai plus eu aucun doute. C'était bien toi, Killik le magicien... »

Killik est trop heureux pour discuter. Il regarde Lounne, lui prend la main.

« Tu as bien agi, Dako ! Tu devais m'enlever sinon je n'aurais jamais connu Lounne. Je voulais une compagne capable de faire battre mon cœur. Elle seule a réussi ! »

À la fin de la journée, après une halte au bord d'une rivière — la rivière qui coule en bas du grand abri, Killik en est sûr —, Dako commence à montrer une figure inquiète. Doit-il rencontrer les parents du magicien, tout son clan ? Si Killik raconte ce qui s'est passé, on va peut-être lui fendre le corps de haut en bas ou lui couper la tête. Heureusement, on peut faire confiance à un magicien. Killik s'approche de son ami, lui tape dans le dos.

« Je crois que tu peux retourner au camp, Dako. Je reconnais cet endroit. Je saurai rentrer chez les miens, seul avec Lounne. Je ne dirai rien, au sujet des coups que j'ai reçus ! Je leur dirai simplement que je vous ai suivis afin de rencontrer la plus jolie fille de votre clan. »

Dako accepte, soulagé. Il les salue, embrasse le front de sa fille. Il repart seul, armé d'un épieu effilé. Protégé par l'esprit de Killik, il n'a peur de rien.

Lounne regarde la silhouette de son père diminuer à chaque pas. Bientôt, il a disparu. Elle ressent une toute petite tristesse qui s'envole en découvrant Killik tout près d'elle. Il lui ôte des épaules sa besace en peau de saïga. Lui prend des mains son harpon.

« Lounne ! Ici, il y a de l'eau et du bois mort pour le feu. La nuit va tomber. Nous avons un peu de viande à manger et des fruits. Je te conduirai demain au grand abri. Ce soir, je voudrais rester seul avec toi. Là, tous les deux...

— Tous les deux... Je veux bien, Killik. »

Les yeux de Lounne sont pleins de joie. Sans un mot, elle enlève sa coiffure de coquillages, secoue ses cheveux. Se met à rire doucement en entourant Killik de ses bras. Appuie sa tête contre le cœur du magicien, qui bat fort, si fort...

4

Les dents de la hyène

Li-Ama a poussé de grands cris de bonheur en voyant
apparaître son fils Killik et une jeune fille brune sur la
berge de la rivière. Elle le pleurait depuis des jours,
tandis que tous les chasseurs cherchaient sa trace. On
le croyait mort, emporté par un fauve.

Tous ont couru vers lui.

Lounne n'a pas su dire un mot. Face à ces inconnus, elle est restée immobile, inquiète. Killik a déclaré,
très content de lui :

« Voici ma compagne Lounne, du Clan des
Curieux. Elle est douce et travailleuse. Elle m'aidera
à broyer les couleurs. Je suis allé la chercher loin de
chez nous. »

Une acclamation pleine d'enthousiasme a suivi ces

paroles. Tout le clan de Killik a trouvé Lounne parfaite. Belle et sage. Même Ordos.

Cela n'a pas rassuré l'étrangère. Elle s'est sentie seule, tant son compagnon avait de choses à raconter. Bien sûr Li-Ama la regardait en souriant, mais ce n'était pas suffisant. Lounne regrettait de ne plus être dans le petit vallon isolé, avec Killik et ses gestes d'amour.

Alors qu'elle se désolait en secret, une petite main s'est glissée dans la sienne. Y a fait son nid. Lounne a baissé la tête et elle a découvert le visage rond d'Awuna, éclairé d'un grand sourire confiant. L'enfant a chuchoté :

« Je suis la sœur de Killik. »

Il y a de cela plusieurs semaines. La neige est venue, opaque, lourde, toute-puissante. Le froid a figé les eaux de la rivière ; il faut briser la glace qui touche à la berge pour puiser un peu d'eau.

Les femmes sont emmitouflées dans des vêtements en fourrure, on ne voit d'elles que les yeux, le nez et un sourire gercé. Les hommes, plus vaillants, partent chasser les cheveux à l'air, les bras dénudés.

Killik vit sur les ailes d'un rêve enfin apprivoisé. Ses doigts, malgré le gel, ont plus d'habileté que jamais. Son cœur, exalté par une joie constante, lui donne une expression de paix amusée. On l'entend tout le jour rire et plaisanter. Killik est adoré, presque autant que le soleil disparu pour de longs mois.

Ordos, affaibli par l'âge, a décidé d'apprendre au magicien tout ce qu'il sait : les bonnes plantes de la montagne, les mauvaises, les messages des esprits du ciel que l'on lit dans les nuages... Et tant d'autres choses !

Killik ne s'ennuie pas. Il trouve toujours le temps de câliner Lounne, de lui parler, de la regarder. Lounne sa femme. Li-Ama a adopté cette fille jolie et sage et attend avec impatience le moment où s'arrondira le ventre de Lounne, moment qui ne vient pas. Cela l'agace. La rend parfois moqueuse ou soucieuse. Elle n'aura plus de bébé à cajoler, à embrasser. C'est à Lounne de lui donner ce bonheur. Killik, lui, n'est pas si pressé, il a déjà tant d'amour à distribuer...

*
* *

Ce matin-là, Killik voit partir Lounne et Awuna, se tenant comme d'habitude par la main. Elles ont décidé d'aller gratter de la mousse sur les arbres, à quelque distance du grand abri. Un aliment précieux pendant l'hiver, cuit sur des pierres plates chauffées à blanc.

Lounne emporte son harpon, effilé avec soin, une arme dont elle sait bien se servir ; Awuna s'est chargée d'un récipient fait de feuilles tressées. Elles rient toutes les deux, en piétinant la neige dure. Lounne crie à son compagnon :

« Oh ! Killik ! Tu devrais nous accompagner...

O-Yon a vu hier un cerf aux longs bois. Tu voulais en dessiner un... Viens avec nous... »

La voix de Lounne caresse, implore. C'est tellement doux de marcher à travers le vallon enneigé, près de Killik. Awuna s'en mêle :

« Oui, viens donc, grand magicien ! Tu nous protégeras de l'esprit des Glaces, celui qui change les filles en poussière de givre. »

Awuna rit aux éclats, ses yeux noirs, aussi profonds que ceux de son frère, brillent de malice. Killik courrait bien embrasser la petite, charmé par sa gaieté, mais il termine un mélange de glaises jaunes. Il répond, dans un cri impatient :

« Je vous rejoins ! Marchez du côté du levant, mon père pose des pièges sous la falaise. Je préfère vous savoir avec lui. »

Elles s'éloignent déjà. Leur bavardage compose une légère musique, de plus en plus faible. Le silence retombe bien vite sur Killik, qui se sent soudain le plus seul des hommes.

Il se hâte de malaxer ses couleurs, en remplit deux coupelles, les ferme d'une peau huilée. Les silhouettes de Lounne et Awuna trottent dans son esprit, images chéries qu'il suit de son amour, en se reprochant de tarder à les rattraper. Il se lave les mains, essuie ses doigts rougis par l'eau trop froide. S'enveloppe d'une épaisse peau d'ours, noue autour de sa taille un cordon de cuir. Ce petit malaise qui n'a cessé de le tourmenter tandis qu'il achevait son travail, ce petit malaise prend de la force, bloque sa respiration, pèse sur lui.

Il cherche du regard d'où vient le danger, ne voit rien d'extraordinaire. Pourtant il a peur, son cœur bat de plus en plus vite. Il s'élance sur la pente glissante, un peu soulagé de bouger, de partir sur leurs traces, posant ses pieds dans chaque empreinte fraîchement marquée sur la neige.

Un long cri d'horreur répond à cette peur dont il n'a pas pu se défaire. La voix de Lounne, stridente. Appel au secours, plein d'une douleur étrange. Killik court, court. Il voudrait voler comme Cro — Cro resté sur son perchoir, près du feu —, mais chaque enjambée semble pénible, trop lente.

Il arrive enfin à l'endroit d'où le cri a été lancé. Reçoit comme un coup violent cette vision terrifiante : Awuna se tordant sur le sol, une hyène des cavernes, monstre poilu aux crocs de silex, tenant fermement l'enfant par la nuque. Prise bien connue, parfaite pour tuer les proies assez faibles. Les vertèbres craquent facilement, et il reste à emporter le gibier, sans même desserrer la mâchoire.

Lounne frappe la bête, mais son harpon est brisé en deux. Du sang souille la vilaine fourrure rêche — ce qui n'empêche pas la hyène de continuer sa tâche mortelle.

Killik voit le visage rouge vif d'Awuna, ses yeux révulsés. Elle vit. Se débat. Lounne continue à frapper, aveuglée par des larmes de désespoir. Elle hurle :

« Killik, aide-moi ! Je l'ai touchée près du cœur, elle perd beaucoup de sang... »

La rage envahit le magicien, et ce désir fou de sauver Awuna, sa sœur. Il se jette sur la hyène, une pierre à la main, cogne le crâne dur, comme il n'a jamais cogné. La bête ne lâche pas prise. Elle agonisera ainsi, dents fermées sur sa proie. Le souffle manque à l'enfant. Il faut agir.

Lounne appelle O-Yon de toutes ses forces. Killik a attrapé la hyène par ses mâchoires et tente d'écarter cet étau puissant. Il éprouve sur chaque parcelle de sa chair l'impact des crocs, il force, affolé, aussi acharné que l'animal.

Dans un dernier sursaut, la hyène furieuse, se sachant perdue, ouvre la gueule, libère Awuna, pour s'attaquer à celui qui la harcèle. Les dents claquent et claquent, brusquement, rapidement. Cela fait un bruit ignoble, mélange de grognements et de gémissements, de craquements d'os, de déchirements... On ne saurait dire qui gémit et qui grogne.

Enfin la hyène s'affale, vaincue, un râle rougeâtre annonce sa mort toute proche. Le harpon et la pierre aux arêtes dures ont triomphé. Lounne s'est agenouillée, Awuna contre sa poitrine. Elle crie, éperdue de soulagement :

« Killik, Awuna va bien. La fourrure d'ours autour de son cou l'a protégée... Elle a des marques, mais elle respire déjà mieux. Tu l'as sauvée ! »

Silence. Aucune réponse. Lounne perçoit ce silence

comme une menace bien plus grave que l'attaque féroce de la hyène, quand elles sont arrivées, Awuna et elle, au pied de la falaise.

Lounne est courageuse. Elle fait courageusement face à son compagnon devenu muet. Il se tient debout, défiguré par la douleur. Ce n'est pas seulement une souffrance du corps ; toute son âme se déchire, s'éparpille.

Killik tend les bras devant lui. D'un air hébété, il observe ces choses répugnantes que sont maintenant ses mains : doigts broyés, sanglants, certains déchiquetés, d'autres tordus de façon étrange.

Lounne en perd le souffle. En un instant, elle comprend. Killik, lui, ne parvient pas à réfléchir. Il pleure sans bruit, brisé comme ses doigts. Horrifié, les yeux pleins de larmes, il regarde les gouttes de sang qui coulent sur la neige. Soudain il répète les mots de Lounne : « Awuna est sauvée… », puis s'écroule, inerte, couché de tout son long à côté du cadavre de la hyène.

5

La saison des chagrins

Killik se réveille en hurlant. Il s'est évanoui sous le choc d'une douleur trop intense, c'est encore la souffrance qui lui fait ouvrir les yeux et la bouche. Une odeur de chair grillée le suffoque. Il transpire, se débat, mais O-Yon et Ano le maintiennent fermement. Dans la pénombre, Killik reconnaît le visage crispé d'Ordos, penché sur lui. Plus loin, des femmes sanglotent. Près de sa cuisse, la chaleur d'un foyer attisé.

« Courage, Killik. J'ai dû brûler tes plaies. Si elles pourrissaient, tu mourrais bientôt. Respire, petit ! »

La voix d'Ordos n'a jamais été aussi tendre. Le vieil homme se retient de pleurer lui aussi, comme les femmes. Il fait un signe à O-Yon. Le père de Killik, très pâle, plonge une des mains de son fils dans un bloc de neige ; de son côté, Ordos fait la même chose. La douleur aiguë recule un moment.

Le temps pour Killik de comprendre. De se souvenir. Il revoit la hyène, les moignons rouges de sang qu'étaient ses doigts au bout de ses bras. La vie ne l'intéresse plus. Il referme les yeux, la bouche, s'enfonce dans les ténèbres. Plus aucune lumière ne passera, ni celles des torches, ni celles des feux de genévrier, même pas le sourire de Lounne. Il tombe très loin, au plus profond de son chagrin. Il écoute à peine Ordos :

« Ta main, du côté du cœur, n'est pas trop abîmée. Deux doigts sont cassés, je les ai bloqués entre des bouts de bois. Les plaies guériront... L'autre main... il te manque deux doigts, j'ai dû les couper. Les chairs sont en mauvais état. Les crocs d'une hyène ont plus de force qu'un rocher qui dévale et écrase tout sur son passage. »

Li-Ama gémit, recroquevillée sur elle-même. Le clan s'est regroupé, épaules contre épaules. Tous sont assis, stupéfaits, désolés. Personne n'ose parler, ni pleurer. Leur magicien a perdu son pouvoir. La nuit semble plus noire, pleine de menaces, le vent plus glacé.

Lounne surveille le visage de Killik. Dort-il ? Il ne bouge pas, mais en regardant mieux, elle voit des larmes couler de ses paupières closes. Des petites rivières qui glissent le long des joues vont se perdre parmi les cheveux.

Elle ne dit rien. À quoi bon ? On ne peut pas revenir en arrière, effacer cette journée de malheur. Lounne se blottit encore plus près de son compagnon, pour qu'il tire un peu de réconfort de sa présence.

La nuit s'écoule ainsi. Lounne ne dort pas. Li-Ama non plus. Les deux femmes, à bonne distance l'une de l'autre, attendent le retour du jour, de la lumière, en sachant que Killik, lui, restera plongé dans le noir. Pas un instant il n'ouvre les yeux, toujours couché, grelottant de fièvre. Il ne sent presque pas ses blessures, car seul son esprit souffre. Ordos passe un baume verdâtre sur les plaies cautérisées. Killik ne réagit pas. Il accepte un peu d'eau, comme ça, en ouvrant à peine les lèvres.

Le clan évite sa couche, pris d'une terreur sacrée. Ce corps allongé ressemble à celui d'un mort, ce masque jaune, sans expression, les fait trembler de dégoût.

La nuit revient. Puis une autre nuit. Enfermé derrière les lourdes peaux tirées, le clan tout entier se repose. Sommeils. Silences. Dehors, la lune, toute ronde, illumine un paysage glacé.

Killik se redresse d'un coup de reins. Il se lève enfin, en évitant de réveiller Lounne. Ses jambes tremblent un peu, mais il réussit à se déplacer dans le grand abri sans faire de bruit. Les braises des quatre foyers rougeoyants l'éclairent bien assez.

Maladroit à cause de ses mains enveloppées de peau huilée, il met dans une besace un quartier de viande, le cale sur son épaule. Puis il prend Cro endormi sur son perchoir, la tête sous l'aile, et le niche contre son cœur, sous sa veste de fourrure. Se glisse vers la clarté bleue, de l'autre côté des tentures. Le froid lui fait du bien. Son corps brûlait de rage ; ce grand air vif, transparent et bleuté, le calme aussitôt. Il gèle à pierre fendre.

Killik longe la falaise, juste quelques pas, pour entrer cette fois dans son abri personnel, celui où il broyait les couleurs et remplissait des récipients de graisse. Là, il arrache ses pansements. De sa main gauche, dont il peut se servir malgré la douleur, il détache la peau de bison qui fermait l'entrée. La lumière de la lune vient jouer sur les coupelles, les plaques d'écorce entassées, les réserves de charbon de bois.

« Cela ne servira plus ! C'est fini ! »

Killik renverse tout, piétine, saccage. Un récipient garni d'ocre jaune, bien gras, échappe à la destruction. Le magicien, un sourire méchant au visage, s'agenouille, plonge ses mains mutilées dans le mélange visqueux. Vite, il se relève et, avec un gémissement, il les applique sur la pierre.

« Voici les derniers dessins de Killik... Killik l'inutile. Même pas chasseur, même pas tailleur de silex ! »

Sous la veste, Cro s'agite, pousse un petit cri surpris.

« N'aie pas peur, Cro, nous partons. Je t'emmène. »

À grands pas, Killik s'éloigne de son clan. Il quitte son père, sa mère, Lounne et Awuna. Il ne pouvait pas rester avec eux. Revigoré par le froid et la colère, il marche vers l'inconnu, en parlant à Cro qui s'est endormi :

« Je ne veux pas les entendre me plaindre. Je ne peux pas les regarder... J'ai sauvé ma sœur mais j'ai perdu mon bonheur. Lounne était la compagne d'un magicien. Que ferait-elle d'un inutile, incapable d'accomplir la moindre tâche ? Je dois partir, le plus loin possible. La mort viendra vite. L'hiver me prendra, et ce sera une bonne chose. »

Sans arme, le ventre vide, la tête pleine de chagrin et de pensées furieuses, Killik s'en va. La nature pétrifiée de neige le laisse passer, silhouette solitaire. Autour de lui, la nuit palpite de présences. Bêtes en chasse, gibier en fuite. Il n'a pas peur, le pire est déjà venu.

Sur ce qu'il lui reste de doigts, la glaise jaune se craquelle, comme ce tissu de joie qui faisait battre son cœur.

*
* *

« Killik a disparu ! Killik a disparu ! »

Le cri de Li-Ama réveille tout le clan. Seule, Lounne reste figée à sa place, sans verser une larme. Elle savait déjà. Ce vide à ses côtés, quand elle a ouvert les yeux, c'était si simple. Killik s'est enfui.

Ce départ provoque un tumulte de discussions, de gémissements, de chuchotis peureux. Ordos hoche la tête d'un air résigné, O-Yon est furieux. Awuna sanglote. À Lounne trop silencieuse, l'enfant confie :

« Mon frère va mourir. Il ne reviendra plus, lui qui est toujours revenu. »

Lounne ne répond pas. Elle se lève, sort de l'abri. Regarde les empreintes dans la neige. Les empreintes de son compagnon. Elle les suit jusqu'à ce recoin sous la roche où le magicien se retirait souvent. Un peu de lui doit rester là-bas. Elle sentira la douce odeur de la glaise, elle touchera les écorces ornées de petits dessins... mais non.

Lounne découvre les coupelles brisées, les charbons de bois piétinés. Le froid a mangé les odeurs, à cause de la tenture arrachée, et sur la paroi rocheuse, il y a ces marques jaunes, tachées de rouge et de noir : ce sont les mains de Killik, aux doigts rognés, aux doigts coupés. Il les a trempées dans l'ocre, puis appuyées sur la pierre. Aucune beauté ne se dégage de ces dessins-là, aucune magie. Lounne pousse une plainte de douleur, se plie en deux pour ne pas hurler.

Derrière elle, venus sans bruit, les chasseurs du clan regardent aussi, effrayés. O-Yon soutient Ordos, comme privé de ses dernières forces. Enfin, lui qui parlait si bien des années plus tôt parvient tout juste à dire d'une voix tremblante :

« Le message est tracé. Killik ne veut plus vivre parmi nous. Il est parti, il a emmené Cro. Il ne faut pas le suivre. Ses pouvoirs sont morts, la hyène les a détruits. Personne n'entrera plus ici, même pas toi, Lounne. Nous te gardons. Tu pourras prendre un autre compagnon. »

Lounne est-elle devenue sourde et muette ? Elle passe devant Ordos, sans un mot ni un signe, rejoint l'abri et va s'asseoir près du feu. Awuna se glisse près d'elle. Li-Ama, agenouillée de l'autre côté du foyer, se met à parler. Longtemps. Peut-être pour lutter contre le chagrin ou tout simplement par besoin de briser le silence. Elle raconte l'histoire de Killik :

« Les bisons au galop dans la prairie, la jambe cassée, les premiers dessins faits dans le sable du grand abri, les écorces brûlées, la punition infligée par Ordos, Killik chassé du clan, et encore... elle, mamme en colère, menaçant le vieil homme... Killik mourant dans une caverne d'un vallon inconnu, l'esprit de l'ours, l'envol de Cro... Et son refus de prendre une femme, alors qu'il avait l'âge de le faire... Son retour avec Lounne la belle... »

Li-Ama termine son récit par ces mots :

« Et maintenant, tu es ma fille, Lounne. Ne pleure pas, Killik reviendra, car il est toujours revenu près de nous. Il suffit d'être patiente, tu verras ! »

*
* *

Lounne connaît la patience. Autant que le petit goût amer du malheur. Elle attend. Chaque jour son regard se perd d'un bout à l'autre du grand paysage blanc. Rien. Elle n'ose pas demander à Li-Ama, sa mamme à présent, comment un homme seul et sans arme peut vivre durant la saison froide.

Après tout, Killik est un magicien...

Lounne oublie bientôt d'être patiente. Son ventre s'arrondit. Dans son cœur, cela change tout. Li-Ama a retrouvé son beau sourire.

« Ordos ne te dira plus de prendre un nouveau compagnon. Et s'il le fait, je le piquerai encore de mon épieu. Tu portes l'enfant de mon fils. L'enfant du magicien. Ne t'éloigne pas de moi. Repose-toi. Attends... attends ! »

Lounne voudrait bien obéir, mais quand elle entend pleurer le bébé de Belti, né il y a quelques semaines, elle se mord les lèvres de tristesse. Belti a donné un fils à Ano. Ils sont tous les deux très fiers de leur enfant. Ils sont heureux. Lounne souffre d'être solitaire. Peu à peu, elle connaît la colère.

Un matin, la voici partie au bord de la rivière. L'eau prisonnière chantonne sous la chape de glace. Lounne se penche pour dire d'un ton furieux :

« Killik aurait dû rester ici. Je l'aimais, avec ou sans doigts. Il pouvait me garder, me protéger. Ordos prétend que mon compagnon voulait mourir, parce qu'il était devenu le plus inutile des hommes du clan, mais je ne le crois pas. »

Lounne tient quelque chose dans sa main. C'est la figurine offerte par Killik. Depuis des jours Lounne la regarde, la caresse, l'embrasse. Aujourd'hui elle la tient entre ses doigts comme un vieil os sale. D'un geste brusque, elle la lance le plus loin possible, de l'autre côté de la rivière. La statuette va heurter un arbuste, retombe, glisse sur la neige. Semble disparue. Lounne est soulagée. Elle revient vers l'abri, s'installe dans son coin, après avoir ramassé des cordons de cuir et des liens d'herbe sèche. Awuna l'observe, étonnée. Les autres femmes s'approchent, curieuses.

On la voit attacher ensemble certains de ses doigts, en les repliant au creux de la paume. Une main puis l'autre. Lounne s'impatiente, soupire, tire un cordon, le défait avec ses dents, recommence. Elle se souvient des blessures de Killik. Enfin, elle paraît satisfaite. Relève la tête pour dire d'un ton dur :

« Voilà ! Regardez bien ! Maintenant je ferai mon travail comme ça... Comme Killik ! Si je peux coudre les peaux ensemble, gratter les os, allumer le feu, cela vous prouvera que mon compagnon pouvait rester ici, et vivre avec moi. »

Lounne lève ses mains et les agite pour que tous puissent les voir.

« Moi aussi, je n'ai presque plus de doigts ! Je garderai ces liens jusqu'au retour de Killik. S'il ne revient pas, je les garderai quand même. »

Les femmes haussent les épaules. Li-Ama secoue la tête. Cette fille aux yeux verts est-elle folle ? Sa fille...

Elle en parlera à Ordos. Il connaît des herbes qui calment les esprits en feu.

Lounne refuse d'avaler les herbes. Elle refuse de délier ses doigts. Elle s'entête à travailler ainsi. Peu à peu, ses gestes sont moins maladroits. Le temps passe.
Killik ne revient pas.

6

Les doigts de Killik

Killik n'a pas réussi à mourir.

Il pensait que tout irait très vite. Un long voyage épuisant, le froid, la faim, et sûrement, sur son chemin, des lions ou des loups en quête d'une proie facile. Mais la marche réchauffait son sang, et il mangeait un peu de la viande volée au clan. Quant aux fauves, ils avaient d'autres pistes à suivre. Haut dans le ciel, Cro l'accompagnait, se posant sur son épaule dès que la lumière baissait.

Killik a dormi deux nuits sous des buissons, là où la neige, moins dure, formait un remblai qui le protégeait du vent. Malgré son chagrin, il a continué à respirer, à grignoter des lambeaux d'écorce, à regarder autour de lui. Son cœur de magicien battait courageusement. Ses mains le faisaient moins souffrir.

Il se croyait bien plus fragile.

Le troisième jour, sur le versant rocailleux d'une colline, Killik a découvert une caverne large et peu profonde. Aucun occupant. Il s'est installé au fond, contre le rocher, décidé cette fois à se coucher et à ne plus se relever.

C'était impossible. Les couleurs enflammées de l'aube le jetaient hors de son refuge. Chaque coup d'ailes de Cro le fascinait. Il restait assis face au soleil couchant, émerveillé par les clartés rouge et mauve s'effilochant sur la crête des montagnes.

Killik regardait, comme il avait toujours tout regardé, d'un œil vif, passionné. Pourtant il n'osait pas baisser les yeux sur ses mains. Il les cachait sous sa veste, les laissait loin, au bout de ses bras. Même pour manger ou ramasser de la neige, il agissait à tâtons, en levant le nez vers le ciel. Il répétait :

« Je n'ai plus de doigts. »

Et puis un matin, en se réveillant, il a le courage d'examiner ses blessures. La peau a cicatrisé. Cela ne ressemble pas à de vraies mains d'homme, mais il lui reste en tout cinq doigts entiers, bizarrement longs et crispés.

Killik ferme les yeux, plein de répugnance. Pour la première fois, il revoit le grand abri, le visage de Lounne, celui d'Awuna. Il en a le vertige...

Les jours s'écoulent, en emportant petit à petit la force de Killik. Ses jambes le soutiennent à peine. Amaigri, les cheveux emmêlés, il ne quitte plus la caverne.

La mort approche enfin. Cro le sent, qui s'inquiète et vole de plus en plus loin, effrayé par le silence de son ami.

Lorsque trois chasseurs du Clan des Eaux boueuses s'arrêtent à l'entrée de la caverne, Killik ne fait pas un geste. La nuit tombe. Les hommes ont tué une saïga, ces antilopes au long nez qui courent sur la plaine. Ils comptent allumer un feu et dormir là, avant de poursuivre leur route. Tous les chasseurs font ainsi, Killik le sait. Il les voit hésiter, parlant à voix basse, se demandant qui agonise au fond de l'abri. L'un d'eux approche, se penche. Il reconnaît le regard noir si brillant.

« Mais c'est Killik, le magicien ! »

Aussitôt le chasseur cherche des yeux, sur la paroi, des silhouettes d'animaux. Il n'y en a pas. Étonné, il fait signe aux autres d'avancer.

« Il est malade... Allumez vite le feu ! »

Killik se nourrit de neige fondue. Il n'arrive pas à parler. Les trois hommes ont vu ses mains. Ils ont versé des larmes d'enfant.

En repartant, le lendemain, ils laissent à Killik toute la viande de l'antilope et un épieu.

*
* *

Maintenant, O-Yon vit avec un secret. Un chasseur du Clan des Eaux boueuses est venu lui parler. Son fils Killik est vivant. Il se cache dans une caverne, de l'autre côté des montagnes. Les bêtes ne l'ont pas mangé, ni le froid, mais son cœur semble mort. Sa bouche ne sourit plus. Il n'a plus de pouvoir.

O-Yon se tait. Il voit Lounne assise près du feu, ses mains ficelées reposent sur son ventre de plus en plus rond. Il voit qu'elle a les joues creuses, des ombres grises sous les yeux. Il attend. Il a peur de marcher vers son fils. On ne peut pas obliger un homme à vivre. Surtout pas un magicien. Killik est parti, personne n'a le droit d'aller le chercher, même pas lui, O-Yon.

Une nuit, Ordos se met à gémir. Il y a longtemps qu'il dort dans la chaleur du clan. Depuis la fuite de Killik.

Les femmes se réveillent, vont s'accroupir autour de lui. Il parle tout bas, trop faible pour lever un bras :

« Je ne reverrai pas le petit Killik ! Il se moquait toujours de moi... C'était un enfant magique, je ne le savais pas. Je ne reverrai pas la belle saison, je ne sentirai pas le parfum de la terre réchauffée... ni Killik... »

Lounne écoute. Ordos s'en va, on le sent loin, très loin. Il dit encore quelques mots, pour lui seul. C'est la fin. Une dernière lueur sur une braise. Inutile de souffler dessus. Pourtant Li-Ama le fait. Elle soulève la tête du vieil homme, lui dit quelque chose à l'oreille. Ensuite elle ordonne aux chasseurs d'apporter du bon bouillon de viande. Sa voix a les mêmes accents joyeux qu'avait celle de Killik :

« Ordos ne doit pas s'éteindre. Il attendra la naissance de l'enfant de Lounne. L'enfant de Killik. Lui seul connaît les plantes qui aident les mères à mettre leur bébé au monde. Tu m'entends, Ordos, cette fois, je te dis de vivre, n'abandonne pas. Nous avons besoin de toi. La saison chaude approche. Je le sens. Tu le sens aussi. La neige mollit, la rivière chante plus fort sous la glace. Vis, Ordos ! »

Ordos obéit. Quand le jour se lève, on le voit marcher dehors, au soleil, ébloui par la lumière vive du soleil sur le givre. Il s'appuie sur Li-Ama, la mère du magicien.

*
* *

Killik, décharné, les lèvres amères, est couché au fond de son refuge. Cro a disparu depuis deux jours. Un air tiède vient le caresser. Il murmure :

« Pauvre Lounne... Que fait-elle ? Est-ce qu'elle m'a oublié.. ? J'aimerais tant dormir près d'elle, toucher sa joue, ses cheveux ! Lounne, ma compagne. »

Personne ne sait à quel point il a souffert quand il a compris que ses doigts ne pourraient plus lui servir.

Il en a voulu à la pauvre Awuna, à Lounne, à tous ceux qui le regardaient avec pitié. Ces pensées étaient de très mauvaises pensées. Il a eu honte pendant des nuits et des jours. Cela aussi lui donnait envie de mourir. Il ne valait pas mieux que la hyène.

Maintenant, que faire ? Il vit. Sale, plein de remords, de regrets et de chagrins. Devenu une sorte de bête lui aussi. Sans clan, sans amitié, à part les coups de bec affectueux de Cro.

Killik enfouit son visage entre ses bras repliés. Des larmes coulent sur ses mains. Il revoit Lounne avec sa belle coiffure de coquillages, ses yeux verts, ses épaules rondes. Lounne...

Un bruit étrange, puissant comme l'orage, lui fait lever la tête. Un cri qu'il n'a jamais entendu, rauque, vibrant. D'autres cris lui répondent, identiques. Tout le vallon s'emplit de ce concert sauvage.

La poitrine de Killik en ressent l'écho. Il saute sur ses pieds, repousse une mèche qui dansait sur son front. Doucement il sort de la caverne, fait quelques pas sur la pente verglacée. Voit d'un œil surpris des touffes d'herbe pointer entre des plaques de neige. L'hiver recule, s'affaiblit.

Là-bas, dans la plaine étroite, de grosses formes rousses marchent très lentement. Énormes, bien plus énormes que les bisons mâles. Killik ouvre la bouche, stupéfait. Ces dos fuyants, la bosse de graisse derrière la lourde tête, la longue fourrure, la trompe qui se balance, et ses dents immenses, presque recourbées...

Sa mémoire est bonne, il sait qu'il n'a jamais vu ces animaux-là, pourtant il n'hésite pas.

« Les mammouths... Mon père les a vus. Il me disait qu'ils reviendraient un jour. Que je les verrais... et je les vois enfin. »

Le mammouth, force pure, viande riche, sang épais, le mammouth dont les chasseurs prononcent le nom d'un ton extasié... Ordos les a décrits si souvent que Killik les a reconnus tout de suite.

Le troupeau se rapproche. Les défenses jaunes fouillent la neige, les trompes poilues arrachent des touffes de foin pourri. L'un d'eux, gigantesque, se campe, redresse la masse de son crâne pour pousser un long barrissement. Les femelles se regroupent autour de lui.

Fasciné, Killik descend encore, plus près, toujours plus près. Les mammouths attaquent rarement l'homme. Ils sont paisibles, lents. Il faut les provoquer pour déclencher leur colère. Alors ils chargent et celui qui tombe sous leurs pattes est broyé.

Killik, courbé en deux, silencieux, ne les inquiète pas. Bientôt il s'accroupit contre le vent, et regarde. Ses yeux dévorent les lignes, les formes, captent un mouvement, l'expression de la prunelle ronde, couleur de bois brûlé.

Les mammouths semblent décidés à rester là. La lumière baisse, ils vont et viennent, en piétinant la neige. La boue brune qui apparaît dégage des senteurs âcres. L'hiver agonisant exhale cette odeur. Killik en est bouleversé. Ses lèvres tracent un sourire, pour la première fois depuis longtemps.

Il s'éloigne du troupeau à reculons, avec un regard fiévreux. De retour dans son abri, il tourne en rond, en secouant les bras. Il voudrait voir ses mains se détacher, tomber sur le sol, pour repousser toutes neuves. Les arbres perdent des branches mortes, ensuite des bourgeons éclosent, se changent en rameaux qui forment de nouvelles branches, fortes d'une sève renouvelée.

Soudain, il se penche, ramasse de la main gauche un vieux tison dans le foyer allumé par les chasseurs du Clan des Eaux boueuses. La gorge nouée, il va jusqu'à la paroi rocheuse, fait un essai. Ses doigts n'obéissent pas.

Killik se met à pleurer. Les mammouths sont presque invisibles, taches brunes parmi les ombres du crépuscule, mais dans l'esprit de Killik, ils sont d'une netteté absolue. Les images l'obsèdent, le torturent. Oh ! pouvoir les dessiner, les voir surgir sur la pierre, trapus et énormes...

« Je ne peux pas... Mes doigts, je veux mes doigts, comme avant... »

La nuit est tombée. Killik s'est endormi, après avoir sangloté comme un tout petit enfant. La clarté de l'aube l'éveille. Il se lève, sort de la caverne. Là-bas, les mammouths mangent, lèvent leur trompe, frottent leurs défenses contre la terre.

Killik ferme les yeux. Les mammouths sont encore là, dans tout son corps. Ils emplissent son esprit.

Celui que l'on prenait pour un magicien pousse un soupir. Ouvre les yeux. Regarde sa main droite. Laide, tordue, marquée de cicatrices. Il dit à voix haute :

« Je dois le faire. »

Le voici ramassant un autre tison bien noir. Maladroitement, en s'aidant de ses dents, des doigts de sa main gauche, il réussit à attacher à son poignet le bout de bois. Face à face avec le rocher lisse, d'une teinte grisâtre, il attend un peu. Le temps de mieux respirer, d'apaiser les battements de son cœur. Il entend à peine un bruit d'ailes. Cro vient de se poser sur un gros galet. Le corbeau penche la tête, lisse ses plumes, puis reste immobile.

Killik se décide. Un trait, un autre, encore un, puis deux, trois... Les longs poils roux des mammouths, leur dos vigoureux, la croupe basse, les pattes comme des troncs d'arbre, la courbure des défenses. L'œil curieux, dénué de méchanceté.

Enfin, Killik recule de quelques pas. Essoufflé, secoué d'un grand frisson de joie. Il ouvre la bouche, avale une gorgée d'air, et crie de toutes ses forces, les yeux étincelants :

« Je l'ai fait ! Le mammouth... il est là ! là ! devant moi... »

Un flot de larmes jaillit des yeux noirs. Des larmes très douces. Killik secoue ses cheveux, se penche en avant, incapable de lutter contre la violence de son bonheur. Maintenant il pourrait mourir.

Il refait les mêmes gestes plusieurs fois dans la journée. Gratte les cendres, cherche les meilleurs tisons, les rattache de plus en plus vite, avec ce qu'il peut : des lambeaux de cuir, des brindilles, des mèches de ses cheveux arrachés d'un coup sec.

Il dessine deux mammouths, puis trois. Le trait se précise, devient plus ferme, plus sûr. Killik ne peut pas s'arrêter de rire. Cro vole autour de lui, croasse, s'excite. Repart, rassuré. Il va tourner dans le ciel, au-dessus du troupeau.

Le dernier mammouth, lorsque la nuit revient, Killik le trace en tenant le tison entre ses dents. Un peu plus tard, repu de fatigue et de joie, il s'allonge, le visage tourné vers la plaine. Les mots s'échappent de ses lèvres, de son cœur, il les répète afin de les écouter encore :

« Ce n'étaient pas mes doigts... Mes doigts n'avaient pas de pouvoir. J'étais idiot, aussi idiot que tous les hommes du clan. Aussi naïf que mamme et Lounne... Le pouvoir est dans ma tête. C'est mon esprit qui commandait mes mains, comme il commande mon bras, ma bouche, ou mes pieds, oui, même mes pieds. »

Cette idée le fait éclater de rire. Demain, il tracera des mammouths avec ses pieds. La vraie magie est là, sous son front, au fond de ses yeux. Il a enfin compris.

Dehors, la lune ronde fait couler ses rayons blancs

sur le dos des mammouths qui sommeillent, plantés sur la terre frémissante de vie. Le magicien s'endort. Son visage a retrouvé la belle lumière qui le rendait si séduisant.

7

La belle saison

O-Yon hésite. L'enfant de Lounne va naître. Que peut-il dire ? Rien. Se taire encore.

Lounne s'en va, le cœur plein de chagrin. Le soleil éclaire le grand abri jusqu'au fond. Ses rayons plus chauds jouent sur les os polis, les quartiers de viande fumée, les couches garnies de fourrure ternie. De fines particules de poussière dansent dans l'air, translucides, agiles comme de minuscules insectes.

Au bord de la rivière, Awuna s'amuse avec trois autres enfants. Ils entassent des morceaux de glace, puis les brisent à coups de galets. Leurs rires sont aussi gais que le vent tiède.

Lounne marche un peu plus loin. Tant pis si le lion dont O-Yon a vu les traces se jette sur elle et

151

l'emporte ! Elle n'a pas peur. Le bosquet de noisetiers qu'elle traverse a gardé le souvenir du rire de Killik, quand ils s'embrassaient tous les deux, en se tenant bien serrés, cœur contre cœur.

Au pied d'un arbre, s'étend une fine bande d'herbe verte. La couleur est si vive qu'elle agit sur Lounne comme un appel. C'est une herbe fraîche, parfumée. Ce doit être bon de la toucher, d'y plonger ses doigts endoloris.

Lounne, certaine d'être seule, défait à coups de dents les liens qui emprisonnaient ses doigts depuis des mois. D'abord, elle ne parvient pas à les bouger, ils sont blancs et inertes. À force de les frotter, de les lécher, un peu de sang circule. C'est douloureux, mais il le faut. Elle s'agenouille, enfouit ses mains dans l'herbe. Oublie la douleur de sa chair délivrée, oublie jusqu'au souvenir de son compagnon. Lounne se couche, pose une joue sur la terre. Rester là, ne plus revoir le clan, attendre la nuit...

Soudain le sol lui renvoie l'écho d'un bruit de pas. Ce pas hésite, fait craquer des brindilles, repousse des branches. Lion ? Loup ? Peut-être un ours ? Non, un ours serait plus lourd.

Lounne ne bouge pas. Elle attend. Li-Ama lui en voudra beaucoup d'avoir sacrifié l'enfant de Killik, mais Lounne ne l'entendra pas hurler et gémir. Elle n'entendra plus rien...

Le pas se rapproche. L'oreille fine de Lounne reconnaît la façon de marcher d'un homme. Déçue, elle se redresse, scrute les taillis. L'homme arrive, à moitié nu, une masse de cheveux crépus autour de la tête. Une barbe noire cache le bas de son visage, pourtant elle est sûre qu'il sourit, à cause d'un éclat blanc là où se trouve la bouche.

Lounne se relève lentement, prête à fuir l'inconnu. Il se dirige vers elle maintenant, mais il ne l'a pas encore vue. Pourquoi a-t-elle si froid tout d'un coup, puis si chaud ? Son sang pris de folie lui donne le vertige. C'est peut-être ce détail capté d'un seul regard, les mains de l'homme... Il lui manque des doigts...

Il lui manque des doigts !

Lounne recule. Ce n'est pas Killik, c'est impossible ! Elle pousse un petit cri. Il la voit tout de suite.

« Lounne ! Lounne... Tu es vivante ! »

Killik est là, tout près. En un instant, il l'a prise contre lui, et caresse à présent son ventre rond. Elle n'ose pas parler, trop étonnée. Li-Ama avait raison, il est revenu. Killik revient toujours.

Lounne voudrait bien être en colère, le repousser, mais cela ne servirait à rien, puisque, ce soir ou demain, elle se retrouverait la tête blottie sur son épaule, ivre de bonheur. Il parle, lui :

« Je te raconterai tout. Tu aurais pu me chasser de ton cœur, prendre un autre compagnon. Je t'ai abandonnée, mais tu vois, je suis là. »

Lounne lève la tête. Killik a le même sourire éblouissant, le même regard noir trop brillant. Sa voix chante, se fait câline :

« Viens, Lounne, suis-moi, j'ai quelque chose à dire au clan. »

*
* * *

Killik n'a pas changé. Il se moque bien de surprendre, de déranger. Peu lui importent les cris perçants de sa mère, la mine ébahie de son père, les larmes du vieil Ordos. Il a repris sa place, en tapant dans le dos d'Ano, en chatouillant le nourrisson calé sur le bras de Belti. On le voit marcher d'un feu à l'autre, saluer, rire et rire toujours. Enfin il s'écrie :

« Les mammouths sont revenus. Là-bas, dans une plaine derrière les montagnes. »

Il tend son bras vers l'ouest.

« Je les ai vus. Le troupeau a piétiné la neige, ils mangent du matin au soir. Ils sont douze, dont trois petits. Un seul mammouth nous donnera de la viande pour des jours et des jours, et des os solides, une peau capable de couvrir tous nos enfants d'un coup. Je dis ça à mon père, à tous les chasseurs. »

Le clan, déjà complètement frappé de stupeur par l'apparition de Killik barbu et joyeux, se met à gesticuler et à rire aussi. Les mammouths sont de retour ! On ne les avait pas vus depuis la naissance d'Ano, de Belti et de Killik.

Awuna trépigne de joie. Elle a passé ses bras autour

de la taille de son frère et ne le lâche plus. Elle demande, entre deux gloussements de rire :

« Dis-moi comment ils sont, les mammouths ? Comme des bisons, plus gros... ou plus petits ? »

Killik plisse les yeux d'un air plein de malice.

« Ils sont énormes, et grands, très grands. Tiens, regarde, je vais te montrer un mammouth ! »

Les discours, les exclamations, les rires et les larmes de joie s'arrêtent aussitôt. À peine ose-t-on regarder Killik. Dans un silence total, le clan se regroupe, forme un seul corps. Ils attendent. Ils voient Killik qui accroche d'un geste sûr un long tison charbonneux à son poignet. D'une démarche ferme, il va au fond de l'abri, là où il n'a jamais tracé un seul animal. Son bras se lève vers la paroi, et, dans un voltigement de traits, surgit le mammouth. Avec ses longs poils, son front bosselé, sa trompe et ses défenses recourbées. Le mammouth semble les dévisager un par un, en se moquant de leur surprise.

Lounne appuie ses deux mains sur son cœur. Elle se retient de courir vers Killik, de le tenir bien fort, de l'embrasser. Killik son compagnon, le magicien, dont la voix résonne, gaie, si jeune :

« Et voilà un mammouth, Awuna. Celui que j'ai approché en rampant... C'était le plus beau. Le plus gros ! »

Awuna ne répond pas. Son regard va des mains de son frère au dessin sur le rocher. Killik est guéri. La hyène n'avait aucune chance contre un magicien aussi puissant...

Avec un croassement rauque, Cro vient se poser sur le bras de Killik. Ordos sourit. Son clan est sauvé. Tout est rentré dans l'ordre.

*
* *

La nuit est venue. Appels de chouettes, senteurs fraîches de la rivière et des arbres pressés de se couvrir de feuilles.

Lounne et Killik sont assis au pied de la falaise. De là, ils aperçoivent les lueurs des feux, ils entendent les bruits de voix, les pleurs du bébé de Belti, toujours affamé.

Ces frêles cris font sourire Killik. Il cache son front dans les cheveux de Lounne. Passe une main sur le ventre de sa compagne. Un mouvement répond à sa caresse.

« Lounne... il bouge. Notre enfant. Mamme m'a dit qu'il allait naître à la prochaine lune ronde. Je suis pressé de le voir, de l'aimer. »

Elle ne répond pas tout de suite, émerveillée par la tendresse qui anime la voix de Killik.

« Moi aussi, je l'aimerai, autant que je t'aime.

— Il aura tous ses doigts, lui ou elle. Et peut-être ce pouvoir que j'ai. Tu te souviens de Nadume, ce petit garçon de ton clan... J'irai le chercher un jour, avec toi.

Je suis sûr que, ce pouvoir, d'autres l'ont ou l'auront. Je dois chercher ceux qui le possèdent, leur apprendre le secret de mes couleurs, et surtout le vrai secret. Mes doigts m'obéissaient bien, mais je sais maintenant que mon corps tout entier obéit. Les images dans ma tête, je saurai toujours les tracer sur la pierre, sur le bois, dans l'os. Et je ne te quitterai plus jamais. »

Lounne ferme les yeux. Killik est là. Elle a déjà oublié les longs jours à pleurer, à souffrir. Elle a même oublié ses doigts liés et engourdis, le froid, le ciel sombre, la neige. La glace qui enserrait son cœur.

Killik est revenu.

FLORENCE REYNAUD

Florence Reynaud est née en 1954 dans le Sud-Ouest de la France, à Angoulême. Dès l'enfance, elle se passionne pour la nature, les animaux, et la préhistoire, qu'elle étudie passionnément. Elle gardera le goût des livres et des voyages. Si elle a renoncé à ses études littéraires pour se consacrer à ses enfants, le désir d'écrire ne l'a pas quittée. Après *Une fin du monde comme une autre* et *La demoiselle des loups*, *Le premier dessin du monde* est le troisième roman qu'elle publie au Livre de Poche Jeunesse. Il a obtenu le grand prix de la PEEP en 2001.

L'enfant-loup, son tout dernier roman, est déjà un succès.

TABLE

Avant-propos   9

Prologue   11

Première partie
1. Les bisons   17
2. La colère d'Ordos   27
3. Les écorces de bouleau   39
4. La punition   49
5. La grande caverne   61
6. Les racines amères   69
7. Les chamans   77

Seconde partie
1. Le magicien   91
2. Le Clan des Curieux   99
3. Lounne   109
4. Les dents de la hyène   121
5. La saison des chagrins   129
6. Les doigts de Killik   139
7. La belle saison   151

Composition Jouve - 53100 Mayenne
N° 299597n
Achevé d'imprimer en Espagne par LIBERDÚPLEX
Sant Llorenç d'Hortons (08791)
32.10.2452.4/02 - ISBN : 978-2-01-322452-9
Loi n° 49-956 du 16 juillet 1949 sur les publications destinées à la jeunesse
Dépôt légal: décembre 2007